CUISINE
CRÉOLE

LAURENT BIANQUIS

C.I.L.

Sommaire

INTRODUCTION

En règle générale, chaque pays possède une cuisine spécifique inflencée par les produits de sa terre, ses traditions et la manière de vivre des habitants.

Aux Caraïbes, et aux Antilles en particulier, l'art culinaire, remontant à plus de trois siècles, s'appuie sur des apports très divers. Métropolitain tout d'abord, il a ensuite subi l'influence des boucaniers, des noirs d'Afrique, des Hollandais, des Espagnols, des Hindous et des populations originaires du Sud-Est asiatique. Les orangers et les citronniers sont venus d'Espagne, le gingembre, la noix de muscade et les clous de girofle d'Asie. En 1493, Christophe Colomb, lors de son second voyage, introduisit la canne à sucre, grand fait historique des Caraïbes. Le riz, venu du vieux continent, s'implanta particulièrement en Guyane ; il est actuellement consommé partout et entre dans de nombreuses recettes créoles. Cette lente progression et ses améliorations continues ont fait de la cuisine antillaise, notamment, l'une des meilleures du monde. Il faut également ajouter que les pays ensoleillés, aux terres fertiles, aux eaux poissonneuses et à la végétation abondante et parfumée, exercent une particulière influence sur la manière de faire la cuisine.

De nature gaie, peut-être inventeurs des cuissons au feu de bois et sur le gril, les habitants des « Isles » préparent souvent leur repas à l'extérieur en écoutant de la musique du pays et

en buvant les traditionnels punch au rhum. Ils laissent les parfums de leurs plats préférés se dissoudre lentement dans la superbe nature environnante.

Même de nos jours, dans de belles maisons modernes, la cuisine est encore séparée de celle-ci, qu'elle rejoint parfois par un couloir ou un passage abrité.

Souhaitons que ces recettes, allégées en graisse, en piment et en épices, dont les produits les plus caractéristiques peuvent être, en France, remplacés par des ingrédients équivalents, vous fassent apprécier cette cuisine raffinée, discrètement assaisonnée d'herbes et d'épices et qui, contrairement à ce que l'on croit trop souvent, ne doit pas être trop ardente.

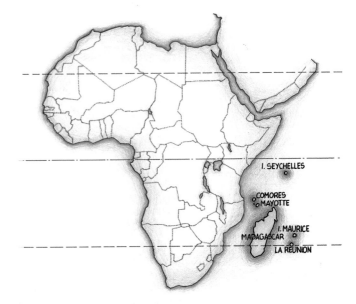

Ingrédients et préparations typiques

Abricots-pays : gros abricots de la grosseur d'une pomme cultivés aux Caraïbes.

Arbre à pain : arbre qui produit les fruits à pain. Gros fruits verts à pulpe blanche et farineuse.

Blaff : procédé de préparation de poissons et de coquillages.

Bois d'Inde : en graine ou en feuilles, il est utilisé dans les marinades, les boudins et les blaffs.

Bonite : variété de thon.

Chatrin : poulpe.

Chaubettes : petits coquillages des Antilles. On utilise à la place des coques ou des praires.

Chou palmiste des Caraïbes : cœur du palmier (salade de palmier).

Christophine : légume en forme de graine, de couleur vert clair, et de chair blanche (appelé également chayotte).

Colombo : mélange d'épices qui donne son nom au plat dans lequel on l'utilise (coriandre, cumin, poivre noir, gingembre, piment). Il peut être remplacé par le curry. Chacun aux Caraïbes possède sa propre « recette » du mélange colombo.

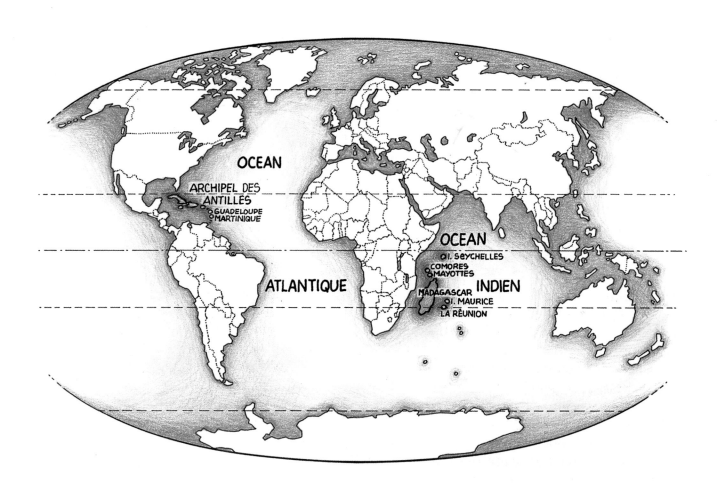

Ces cartes nous montrent les régions où la cuisine créole s'est particulièrement développée et implantée. On la retrouve, en effet, aussi bien dans les Grandes et Petites Antilles qu'aux Bahamas, en passant par la côte sud des États-Unis. Elle se déguste également tout au long des côtes de l'Amérique Centrale comme du Venezuela et de la Colombie. Dans l'Océan Indien, au large de l'Afrique et de Madagascar, les îles des Seychelles, de la Réunion, des Comores, etc., proposent, elles aussi, une cuisine aux caractéristiques semblables.

Court-bouillon de poisson : placez dans 1,5 litre d'eau salée des parures de poisson, un citron pressé, un oignon-France, un bouquet de thym, du persil, des cives, une carotte coupée en tronçons et quelques petits morceaux de piment antillais. Faites bouillir une heure environ. Filtrez et conservez pour une utilisation ultérieure.

Court-bouillon de viande : il se prépare comme un bouillon de pot-au-feu auquel vous ajoutez un bouquet garni avec des cives, deux feuilles de bois d'Inde et un piment préparé, que vous mettrez en fin de cuisson. Vous pouvez, selon les goûts, utiliser un piment vert un peu moins fort que les rouges.

Féroce : préparation à base d'avocat, de morue, de farine de manioc, le tout « férocement » relevé, d'où le nom du plat.

Giraumon : citrouille ou potiron des Antilles.

Gombos : genre de gros haricots verts, répandus en Afrique, au Moyen-Orient et en Inde. Appelés dans certains pays « Lady's finger ».

Igname : racine comestible tropicale, à la chair farineuse, il en existe plusieurs espèces. Légume comparable à la pomme de terre, que l'on retrouve souvent dans la cuisine antillaise.

Macadam : poissons au court-bouillon servi en général avec un riz assez collant.

Marinade pour poissons : il s'agit de donner du goût au poisson avant sa préparation, elle se prépare de la façon suivante : mettre 2 oignons hachés finement ; 2 gousses d'ail écrasées ; 4 feuilles de bois d'Inde et du piment râpé (la quantité de piment est la variante qui donnera la force à la marinade, suivant le goût de chacun). Ajouter le jus de deux citrons verts, du sel et du poivre. Ces proportions correspondent à 1 kg de poissons environ.

Marinade pour viandes : on mélange à de l'huile d'olive, 1 oignon haché ; 2 gousses d'ail écrasées : 4 feuilles de bois d'Inde écrasées et 1 piment entier préparé. Pour les volailles et parfois pour le porc (pour les brochettes, par exemple) il faut ajouter le jus de 2 citrons verts.

Piment : il en existe plusieurs variétés : piment-cooli ; piment-café ; piment-oiseau (très fort) ; piment-lampion (piment antillais), le plus répandu. Pour retirer les graines du piment, qui ne doivent jamais être utilisées à la cuisson, il est nécessaire d'utiliser un couteau et une fourchette. Maintenez le piment à l'aide de la fourchette et retirez les graines avec le couteau. Évitez tout contact du piment avec les doigts, sinon frottez-les avec du citron et lavez-vous les mains soigneusement. Attention, ne vous touchez pas les yeux durant toute l'opération. Soyez extrêmement prudent dans l'utilisation des piments, coupez-les en morceaux très fins avant de les ajouter aux préparations ou mieux encore présentez-les dans des coupelles séparées et chacun se servira selon son goût.

Oignon-France : il s'agit du gros oignon importé de la Métropole.

Oignon-pays ou cive : c'est l'oignon local, très utilisé, il ressemble à de l'échalotte nouvelle.

Pois de bois : les haricots sont appelés « pois » dans toutes les Caraïbes. Il s'en trouve de toutes sortes : ronds et beiges ; blancs ; blancs avec un œil noir ; rouges, etc.

Pisquettes : très petits poissons appelés pisquettes à la Martinique, et titiris à la Guadeloupe.

Ti-concombre ou massicis : petit concombre vert, hérissé de poils.

Souskaï : manière de préparer des fruits en les laissant macérer.

Taumali : ce sont les parties crémeuses et le corail des crabes.

Adresses utiles

Nous avons pensé qu'une liste indicative des magasins d'alimentation faciliterait vos achats des produits spécifiques nécessaires à la cuisine créole. Cette liste n'est évidemment pas exhaustive.

PARIS
Village africain, 2, rue de l'Arbalète, 75005.
Vinaco, 49, boulevard Saint-Germain, 75005.
Fauchon, 24-26-28, place de la Madeleine, 75008.
Hédiard, 21, place de la Madeleine, 75008.
Au soleil des Antilles, 88 bis, rue du Faubourg-du-Temple, 75011.
Afrique-Antilles, 9, rue Léopold-Robert, 75014.
Les Vergers Saint-Eustache, 13, rue Montorgueil, 75001.

PROVINCE
Angoulême : Cafés Rasset, 104, rue de Périgueux.
La Rochelle : M. Pons, 24, rue du Temple.
Marseille : Établissements Blaze, 258, avenue du Prado.
Cannes : La Côte-d'or, 107, rue d'Antibes.

BELGIQUE
Bruxelles : Barones Boutique, Galerie Louise 127, 1050.
Établissement Rob, 28, boulevard de Woluwe, 1150.
Fuhr sœurs, 10, place Sainte-Catherine, 1080.

CANADA
Montréal : Enkin Fruit, 1201, Saint-Laurent, Montréal.
World Wide Imported foods, 6700 Côte des Neiges.

Souskais
de mangues vertes

Pour 4 personnes. Préparation : 20 mn. Marinade : 1 h

- *2 mangues vertes*
- *2 citrons verts*
- *1 gousse d'ail*
- *1 piment antillais*
- *gros sel*
- *poivre*

1. Épluchez les mangues et détachez la chair du noyau. Découpez celle-ci en dés. Coupez les citrons en deux et pressez-les. Épluchez la gousse d'ail et écrasez-la au presse-ail. Détachez le pédoncule du piment et fendez ce dernier en deux dans la longueur. Retirez les graines, puis rincez la pulpe et coupez-la en petits morceaux.

2. Mettez l'ail, le piment, 1 pincée de sel et de poivre dans un mortier, écrasez le tout au pilon, jusqu'à obtention d'une pâte. Incorporez-y le jus des citrons.

3. Versez les dés de mangue dans le mortier et mélangez-les soigneusement pour les enrober tous de pâte. Laissez mariner pendant 1 h. Servez à l'apéritif avec des piques à cocktail.

☐ Ces souskais se font généralement avec des fruits verts. Pour préparer des rougails, il suffit d'ajouter de l'huile à la marinade.

Acras de morue

Pour 4 pers. Tremp. : 12 h. Prép. et cuis. : 30 mn. Repos : 3 h

- 125 g de morue salée
- 1 oignon
- 1 gousse d'ail
- 1 cuil. à soupe de ciboulette hachée
- 1 pincée de piment en poudre
- 1 pincée de thym
- huile pour friture

Pour la pâte :
- 250 g de farine
- 20 cl de lait
- 2 œufs
- 100 g de beurre
- sel
- poivre

1. Plongez la morue dans de l'eau froide et laissez-la dessaler pendant 12 h, en changeant l'eau plusieurs fois.

2. Lorsque le trempage est achevé, préparez la pâte : cassez les œufs dans un bol et battez-les. Faites fondre le beurre dans une petite casserole à feu doux. Mettez la farine dans une jatte et creusez un puits au centre. Versez-y le lait et le beurre fondu. Mélangez en ramenant peu à peu la farine vers le centre, jusqu'à obtention d'une pâte lisse. Ajoutez les œufs battus, du sel et du poivre, puis battez vivement le tout au fouet. Couvrez et laissez reposer pendant 3 h au moins.

3. Égouttez la morue, retirez-en la peau et les arêtes et coupez-la en petits morceaux. Pelez l'ail et l'oignon et hachez-les.

4. Mettez la morue, l'oignon, l'ail, la ciboulette, le piment et le thym dans un mortier, et pilez le tout, jusqu'à obtention d'une purée épaisse. Mesurez le volume de cette purée de poisson et ajoutez-y le même volume de pâte : la préparation doit être un peu épaisse.

5. Faites chauffer de l'huile dans une friteuse et, lorsqu'elle est chaude, plongez-y une première cuillerée à soupe de pâte, ainsi de suite jusqu'à épuisement de celle-ci. Laissez dorer les beignets, puis égouttez-les sur du papier absorbant. Servez ces acras chauds à l'apéritif, avec un planteur (p. 78) ou un punch coco (p. 79), par exemple.

Petits chaussons farcis au mouton

Pour 12 petits chaussons. Préparation et cuisson : 50 mn

- 250 g de pâte feuilletée
- 400 g de mouton maigre désossé
- 6 ciboules
- 1 gousse d'ail
- 2 cuil. à soupe de persil haché
- 1 pincée de thym
- 2 clous de girofle
- 1 jaune d'œuf
- 2 cuil. à soupe d'huile
- 50 g de beurre
- 1 cuil. à soupe de farine
- sel, poivre

1. Taillez le mouton en cubes. Épluchez les ciboules et hachez-les. Pelez l'ail et écrasez-le au presse-ail. Réduisez les clous de girofle en poudre dans un moulin à poivre. Passez la viande, les ciboules, l'ail, le persil, le thym et le girofle au hachoir. Salez, poivrez et mélangez.

2. Faites chauffer 1 cuillerée à soupe d'huile dans une poêle, ajoutez le beurre et, lorsqu'il est fondu, faites-y dorer le hachis de viande en l'écrasant à la cuillère en bois. Laissez refroidir la farce.

3. Faites chauffer le four à 170°, thermostat 5. Sortez la plaque à pâtisserie de l'appareil. Farinez un plan de travail et abaissez-y la pâte feuilletée. Découpez-y 12 disques de 7 ou 8 cm de diamètre à l'aide d'un emporte-pièce.

4. Déposez 1 cuillerée à soupe de farce sur chaque disque. Rabattez la pâte pour former des chaussons. Humectez les bords avec de l'eau et pincez-les pour les souder. Battez le jaune d'œuf et badigeonnez-en les chaussons.

5. Huilez légèrement la plaque à pâtisserie et placez-y les chaussons. Glissez au four et laissez cuire pendant 10 mn environ, jusqu'à ce que les chaussons soient bien dorés. Servez chaud ou froid.

Acras d'aubergines

Pour 4 personnes. Préparation et cuisson : 40 mn

- 5 aubergines
- 2 œufs
- 20 g de farine
- 10 cl de lait
- 1 cuil. à café de persil haché
- 1 pincée de thym
- huile pour friture
- sel, poivre

1. Épluchez les aubergines et coupez-les en cubes. Faites-les cuire pendant 15 mn environ, dans une casserole d'eau bouillante salée, jusqu'à ce qu'elles soient translucides.

2. Lorsque les aubergines sont cuites, égouttez-les soigneusement dans une passoire et passez-les au moulin à légumes, grosse grille, au-dessus d'une jatte pour les réduire en purée : celle-ci ne doit pas être trop liquide.

3. Cassez les œufs dans un bol, battez-les et incorporez-les à la purée d'aubergines, ainsi que la farine, le persil et le thym. Salez, poivrez et ajoutez suffisamment de lait pour obtenir une pâte ferme et onctueuse.

4. Faites chauffer de l'huile dans une friteuse, jusqu'à ce quelle soit chaude mais non fumante ; plongez-y une première cuillerée à soupe de pâte. Répétez l'opération et faites frire cette première série d'acras. Égouttez-les sur du papier absorbant. Procédez de la même façon pour le reste des acras. Servez chaud.

Avocats aux crabes

Pour 4 personnes. Préparation et cuisson : 30 mn

- 4 avocats
- 4 étrilles ou 2 tourteaux moyens ou 1 boîte de crabe
- 125 g de crème fraîche
- 2 cuil. de lait de coco
- 1/2 cuil. à café de piment râpé ou paprika
- le jus de 1 citron
- sel, poivre

1. Coupez les avocats en deux, retirez-en le noyau, prélevez-en la pulpe, sans abîmer l'écorce. Coupez la pulpe en cubes et arrosez-les de jus de citron.

2. Faites cuire les étrilles ou les tourteaux dans de l'eau bouillante salée pendant 15 mn environ, suivant la grosseur des crustacés. Laissez les refroidir, décortiquez-les et prélevez-en la chair.

3. Mélangez les cubes d'avocat, la crème fraîche, le lait de coco, le piment râpé, ou le paprika. Salez, poivrez. Ajoutez la chair des crustacés ou le crabe en boîte, bien égoutté. Mélangez de nouveau.

4. Disposez la préparation dans les écorces d'avocats et servez frais.

☐ Vous pouvez présenter vos avocats sur un lit de glace pilée.

Rougail de bélangères

Pour 4 personnes. Préparation et cuisson : 25 mn

- 3 bélangères ou 3 aubergines
- 1 oignon
- le jus de 1 citron vert
- 2 cuil. à soupe d'huile
- 60 g de gingembre frais
- 1 petit piment long émincé

1. Nettoyer les bélangères, ou ôtez le pédoncule des aubergines, et faites-les cuire à la vapeur sans les éplucher, jusqu'à ce qu'elles soient tendres.

2. Épluchez l'oignon et hachez-le finement.

3. Faites chauffer l'huile dans une sauteuse et faites-y revenir l'oignon, jusqu'à ce qu'il soit transparent, en y ajoutant le piment émincé, le gingembre et le jus de citron.

4. Écrasez la chair des bélangères, ou des aubergines, ajoutez-la au contenu de la sauteuse et mélangez soigneusement.

5. Laissez refroidir et servez.

☐ Le rougail peut également se déguster avec de la viande ou du poisson.

☐ Les bélangères sont des légumes vert clair, d'origine tropicale, à la peau semblable à celle des coloquintes, et de la taille d'une aubergine.

Rougail de morue ★

Pour 4 personnes. Dessalage : 12 h
Préparation et cuisson : 20 mn

- 500 g de morue salée
- 3 tomates
- 2 oignons
- le jus de 1 citron
- 2 cuil. à soupe d'huile
- 1/2 piment sans graines et épluché
- persil haché
- sel
- poivre noir concassé

1. La veille, placez la morue dans une bassine d'eau froide et laissez-la dessaler 12 h, en changeant l'eau plusieurs fois.

2. Le lendemain, retirez la peau et les arêtes de la morue. Épluchez les oignons et hachez-les finement. Pelez les tomates et coupez-les en morceaux.

3. Faites chauffer l'huile dans une poêle, ajoutez-y la morue, en l'effeuillant avec une fourchette, et faites-la revenir, jusqu'à ce qu'elle soit dorée.

4. Ajoutez dans la poêle, l'oignon haché, le jus de citron et le poivre concassé. Couvrez le poisson avec les tomates en morceaux. Salez légèrement et laissez cuire pendant 10 mn, jusqu'à ce que le jus s'évapore.

5. Laissez refroidir et servez à l'apéritif.

☐ Le rougail, originaire de l'île de la Réunion, peut également se déguster chaud avec du riz, comme plat principal ou bien encore en accompagnement d'une viande ou d'un poisson.

Potage de fruits à pain

Pour 4 personnes. Préparation et cuisson : 30 mn

- 2 fruits à pain (p. 8)
- 4 poireaux
- 2 tranches
  de poitrine fumée
- 1 gros oignon
- 3 cuil. de crème épaisse
- 15 g de beurre
- 1 cuil. à soupe
  de persil haché
- sel, poivre

1. Coupez les fruits à pain en dés. Épluchez les poireaux, lavez-les et coupez-les en tronçons. Placez les dés de fruits à pain et les poireaux dans une casserole d'eau salée et laissez cuire pendant 20 mn.

2. Lorsque les légumes sont cuits, passez-les au moulin à légumes en éliminant un peu d'eau de cuisson, afin d'obtenir une purée liquide.

3. Coupez la poitrine fumée en morceaux. Pelez l'oignon et émincez-le finement. Faites fondre le beurre dans une poêle et faites-y dorer la poitrine et les oignons.

4. Ajoutez le contenu de la poêle à la purée de légumes. Incorporez-y la crème épaisse, à feu très doux, en tournant et sans faire bouillir.

5. Saupoudrez de persil haché et servez sans attendre.

14

★ Soupe z'habitants (potée antillaise)

Pour 4 pers. Tremp. : 12 h. Prép. : 20 mn. Cuis. : 1 h 45

- 500 g de petit salé ou de bœuf salé
- 250 g d'épinards frais
- 3 carottes
- 3 pommes de terre
- 2 blancs de poireaux
- 500 g de giraumon (p.8)
- 1 branche de céleri
- 1 oignon
- 1 gousse d'ail
- 1 piment antillais
- 1 bouquet garni
- quelques feuilles de pourpier
- 3 feuilles de bois d'Inde (p. 8)
- 3 cuil. à soupe d'huile
- sel
- poivre

1. La veille, plongez la viande dans de l'eau froide et laissez-la dessaler pendant toute la nuit en changeant l'eau plusieurs fois.

2. Le lendemain, équeutez les épinards et les feuilles de pourpier, lavez-les et égouttez-les. Effilez le céleri, rincez-le et coupez-le en tronçons. Épluchez carottes, pommes de terre, poireaux, giraumon, lavez-les et coupez-les en rondelles ou en cubes. Pelez l'oignon et l'ail. Pilez l'ail.

3. Faites chauffer l'huile dans un faitout et faites-y revenir tous les ingrédients précédents. Ajoutez-y le bouquet garni, le pourpier et le bois d'Inde. Remuez régulièrement à la cuillère en bois, jusqu'à ce que le tout devienne translucide.

4. Égouttez la viande et ajoutez-la aux légumes. Salez, poivrez et couvrez d'eau (2 litres environ). Laissez cuire 1 h 30 à feu modéré, en remuant de temps à autre.

5. Pendant ce temps, faites chauffer de l'eau dans une petite casserole et, lorsqu'elle frémit, faites-y pocher le piment, jusqu'à ce qu'il soit translucide : il ne doit pas éclater. Égouttez-le.

6. Lorsque la viande et les légumes sont cuits, égouttez-les dans une passoire. Retirez le bouquet garni. Découpez la viande en tranches et disposez-les sur un plat chaud avec les légumes et le piment à côté. Servez comme une potée ou un pot-au-feu.

★ Soupe au giraumon

Pour 4 personnes. Préparation et cuisson : 25 mn

- 1 kg de giraumon (p. 8)
- 200 g de riz
- 1 gros oignon
- 20 cl de lait
- 1 pincée de noix muscade râpée
- 1 cuil. à soupe d'huile
- sel, poivre

Pour servir :
- quelques feuilles d'épinard tendres
- 1 piment
- 15 g de beurre

1. Épluchez l'oignon et hachez-le. Faites chauffer l'huile dans une sauteuse et faites-y fondre l'oignon, ajoutez-y le riz et faites-le revenir en mélangeant, jusqu'à ce que les grains soient translucides. Poudrez de muscade, de sel et de poivre, puis couvrez avec 60 cl d'eau (3 fois le volume de riz). Laissez cuire de 15 à 20 mn. Le riz doit avoir absorbé tout le liquide.

2. Pendant ce temps, épluchez le giraumon et coupez-le en cubes. Mettez ces derniers dans une casserole et couvrez-les de 3 cm d'eau. Salez et laissez cuire pendant 15 mn environ.

3. Équeutez les feuilles d'épinard, lavez-les, égouttez-les et coupez-les en fins rubans. Rincez le piment. Faites bouillir le lait et retirez-le du feu.

4. Lorsque le riz est cuit, ajoutez-le au giraumon, ainsi que le lait chaud, et mélangez.

5. Versez la soupe dans une soupière chaude et incorporez-y les épinards et le beurre. Servez aussitôt avec le piment en décoration (attention, celui-ci n'est pas à consommer !).

Soupe à l'avocat

Pour 4 personnes. Préparation et cuisson : 30 mn

- *3 avocats mûrs à point*
- *1 piment rouge*
- *1 gousse d'ail*
- *1 litre de bouillon de pot-au-feu*
- *3 cuil. à soupe de crème fraîche*
- *sel, poivre*

Pour servir :
- *1 tomate ferme*
- *1 avocat (facultatif)*
- *croûtons frits*

1. Fendez le piment en deux et retirez-en le pédoncule et les graines. Rincez la pulpe et hachez-la. Épluchez l'ail et pilez-le dans un mortier avec une pincée de sel. Fendez les avocats en deux, dénoyautez-les et prélevez-en la chair à l'aide d'une cuillère.

2. Mettez le piment, l'ail, l'avocat et une pincée de poivre dans le bol d'un mixeur, puis réduisez le tout en purée. Faites chauffer cette purée au bain-marie et délayez-la peu à peu avec le bouillon. Portez à ébullition sur feu vif en remuant constamment.

3. Réduisez le feu et incorporez la crème fraîche. Faites réchauffer le tout pendant 5 mn à feu doux sans laisser bouillir. Retirez du feu et couvrez.

4. Préparez la garniture : lavez la tomate, coupez-la en deux et retirez-en les graines. Recoupez chaque moitié en petits dés. Fendez éventuellement l'avocat en deux, dénoyautez-le et pelez-le. Découpez la pulpe en petits dés.

5. Versez la soupe dans une soupière et ajoutez-y la tomate, l'avocat, s'il y a lieu, et les croûtons. Servez aussitôt.

☐ Cette soupe est également délicieuse froide ou glacée.

Soupe de poissons

Pour 4 personnes. Préparation : 25 mn. Marinade : 2 h. Cuisson : 40 mn

- *1 kg de poissons variés, écaillés et vidés*
- *2 crabes*
- *3 carottes*
- *3 poireaux*
- *1 navet*
- *300 g de giraumon (p. 8)*
- *3 citrons verts*
- *1 gros oignon*
- *2 gousses d'ail*
- *1 bouquet garni*
- *sel, poivre*

Pour servir :
- *croûtons frits*

1. Rincez les poissons, épongez-les avec du papier absorbant et coupez-les en morceaux. Coupez les citrons en deux et pressez-les. Pelez l'ail et écrasez-le au presse-ail.

2. Mettez les morceaux de poisson dans une jatte, ajoutez le jus des citrons et l'ail, puis salez, poivrez et mélangez soigneusement. Laissez mariner pendant 2 h.

3. Au bout de ce temps, versez le contenu de la jatte dans une cocotte. Ajoutez les crabes, couvrez d'eau, et faites cuire le tout pendant 20 mn à petits bouillons.

4. Décortiquez les crabes et placez-en la chair dans le bouillon de cuisson. Égouttez les morceaux de poisson à l'aide d'une écumoire et prélevez-en la chair. Éliminez les feuilles vertes des poireaux, épluchez-les, ainsi que les carottes, le navet et le giraumon. Lavez les légumes et coupez-les en rondelles ou en cubes. Pelez l'oignon.

5. Filtrez le bouillon de cuisson des poissons et des crustacés dans une casserole et faites-y cuire poireaux, carottes, navet, giraumon et oignon avec le bouquet garni pendant 20 mn.

6. Lorsque les légumes sont cuits, retirez-en le bouquet garni. Passez le contenu de la casserole à la moulinette, grille fine. Versez la soupe dans une soupière chaude et ajoutez-y les morceaux de poisson et des croûtons frits. Servez aussitôt.

Potage créole

Pour 4 personnes. Préparation et cuisson : 30 mn

- 1 litre de bouillon
- 1 kg de tomates
- 1 piment vert
- 1 oignon
- 50 g de vermicelle
- 20 g de farine
- 2 cuil. à soupe de raifort râpé
- 50 g de beurre
- poivre rouge
- sel
- poivre blanc

1. Lavez les tomates et coupez-les en morceaux. Rincez le piment et coupez-le en anneaux. Pelez l'oignon et émincez-le.

2. Faites fondre le beurre dans une casserole et faites-y revenir le piment et l'oignon, jusqu'à ce que celui-ci soit translucide. Poudrez de farine et faites cuire pendant 30 secondes en mélangeant avec une cuillère en bois. Ajoutez le bouillon et les tomates, puis laissez cuire pendant 20 mn à feu doux.

3. Passez le tout au tamis au-dessus d'une autre casserole en écrasant la pulpe de tomate à la cuillère de bois. Assaisonnez de poivre rouge, de sel et de poivre blanc. Ajoutez le vermicelle et laissez-le cuire pendant 3 ou 4 mn. Incorporez le raifort et servez dans une soupière chaude.

Soupe à l'igname

Pour 4 personnes. Préparation et cuisson : 1 h

- 1 kg d'ignames
- 6 poireaux
- 2 tomates vertes
- 1 tranche fine de lard de poitrine fumée
- 1 oignon
- 1 gousse d'ail
- 1 brin de basilic
- 1 cuil. à soupe d'huile
- sel, poivre

Pour servir :
- 25 cl de lait de coco ou 3 cuil. à soupe de crème fraîche épaisse
- croûtons frits
- persil haché

1. Pelez les ignames et coupez-les en morceaux. Épluchez les poireaux, en éliminant les feuilles vertes, lavez-les et coupez-les en rondelles.

2. Plongez les ignames et les poireaux dans une casserole d'eau bouillante salée et faites-les cuire 20 mn.

3. Pendant ce temps, lavez les tomates, coupez-les en morceaux et écrasez-les. Ôtez la couenne du lard et taillez-le en bâtonnets. Pelez l'oignon et émincez-le. Épluchez l'ail et écrasez-le au presse-ail.

4. Faites chauffer l'huile dans une poêle et faites-y revenir les tomates, le lard, l'oignon et l'ail, jusqu'à ce qu'ils soient translucides. Ajoutez le basilic, puis salez et poivrez. Retirez du feu.

5. Lorsque les ignames et les poireaux sont tendres, égouttez-les en recueillant le liquide de cuisson dans une casserole. Passez-les au moulin à légumes pour les réduire en purée, au-dessus de cette même casserole. Ajoutez le contenu de la poêle et mélangez. Faites cuire pendant 30 mn à feu doux, en mélangeant de temps à autre.

6. Versez la soupe dans une soupière chaude et incorporez-y le lait de coco ou la crème fraîche. Parsemez de persil haché. Servez avec des croûtons frits.

Bisque de tourlourous

Pour 4 personnes. Préparation et cuisson : 40 mn

- *8 à 10 petits crabes ou tourlourous*
- *1 carotte*
- *1 piment antillais*
- *2 oignons*
- *1 bouquet garni*
- *10 g de farine*
- *2 jaunes d'œufs*
- *1 cuil. à soupe d'huile*
- *gros sel*
- *poivre en grains*

Pour servir :
- *croûtons frits*

1. Grattez la carotte, lavez-la et coupez-la en rondelles. Rincez le piment. Pelez les oignons.

2. Mettez la carotte, le piment et les oignons dans un faitout. Ajoutez une pincée de gros sel, quelques grains de poivre et 1 litre d'eau. Faites bouillir pendant 15 mn.

3. Plongez les crabes dans le court-bouillon (ils doivent être juste couverts) et retirez un peu de liquide s'il y a lieu. Laissez cuire à petits frémissements pendant 15 mn environ.

4. Égouttez les crabes dans une passoire, au-dessus d'un récipient afin de recueillir le court-bouillon, et pilez-les dans un mortier pour les réduire en purée.

5. Faites chauffer l'huile dans une casserole et faites-y dorer légèrement la farine en tournant. Versez le court-bouillon en battant au fouet, puis la purée de crabes. Faites bouillir pendant 1 mn.

6. Passez le bouillon au chinois. Délayez les jaunes d'œufs avec un peu de ce bouillon dans une soupière, puis ajoutez le reste du bouillon en remuant. Servez aussitôt avec des croûtons frits.

☐ Cette recette de bisque peut se faire avec toutes les variétés de crabes (crabes de terre, ciriques, étrilles, etc.).

Chiquetaille de morue ★

Pour 4 pers. Tremp. : 12 h. Prép. et cuis. : 15 mn. Marinade : 1 h

- *400 g de morue salée*
- *1 piment antillais*
- *2 oignons*
- *20 cl de vinaigre de vin blanc*
- *1 gousse d'ail*
- *2 cuil. à soupe de persil haché*
- *1 cuil. à soupe d'huile*

1. La veille, plongez la morue dans une jatte d'eau froide et laissez-la tremper pendant toute la nuit en changeant l'eau plusieurs fois.

2. Le lendemain, égouttez la morue et coupez-la en gros morceaux.

3. Faites chauffer le gril du four, badigeonnez les morceaux de morue d'huile et faites-les cuire pendant quelques minutes au gril. Émiettez ensuite la chair du poisson à la fourchette en « chiquetaille ».

4. Ajoutez au vinaigre le même volume d'eau et faites-y mariner les miettes de poisson pendant 1 h.

5. Pendant ce temps, fendez le piment en deux et retirez-en le pédoncule et les graines. Rincez la pulpe et hachez-la finement. Pelez les oignons et émincez-les en défaisant les anneaux. Épluchez l'ail et écrasez-le au presse-ail.

6. Lorsque la chiquetaille a suffisamment mariné, égouttez-la et essorez-la dans un linge. Mettez-la dans un plat, ajoutez le piment, les oignons, l'ail et le persil, puis mélangez soigneusement. Servez dans un plat avec du riz créole, en guise de hors-d'œuvre, ou en « féroce d'avocat ».

Achard de légumes ★

Pour 4 pers. Trempage : 24 h. Préparation et cuisson : 30 mn. Macération : 3-4 h. Marinade : 24 h

- *500 g de légumes : chou, haricots verts, carottes, cœur de palmier...*
- *3 citrons verts*
- *1 piment rouge*
- *1 oignon*
- *1 gousse d'ail*
- *2 pincées de safran*
- *1 cuil. à café de gingembre*
- *en poudre*
- *1 litre d'huile gros sel, poivre*

1. Épluchez les légumes et coupez-les en dés. Lavez les citrons et coupez-les en quatre. Plongez légumes et agrumes dans une jatte d'eau salée et laissez-les tremper pendant 24 h.

2. Lorsque le trempage est achevé, rincez les quartiers de citron et faites-les macérer dans une autre jatte d'eau pendant 3 ou 4 h. Mettez les citrons avec leur eau de macération dans une casserole et portez à ébullition. Laissez refroidir.

3. Fendez le piment en deux et retirez-en les graines et le pédoncule. Rincez la pulpe et hachez-la. Pelez l'oignon et émincez-le. Épluchez l'ail et écrasez-le au presse-ail.

4. Faites chauffer l'huile dans un faitout et plongez-y le piment, l'oignon, l'ail, le safran et le gingembre. Laissez cuire pendant quelques minutes à feu doux.

5. Pendant ce temps, rincez les légumes à l'eau froide, puis arrosez-les de l'eau de cuisson des citrons. Égouttez légumes et citrons et mettez-les dans un plat creux. Versez doucement l'huile dessus et laissez-la refroidir. Faites mariner pendant 24 h.

☐ Cet achard de légumes se conservera aussi longtemps qu'il baignera dans l'huile parfumée, que vous pourrez utiliser pour cuisiner.

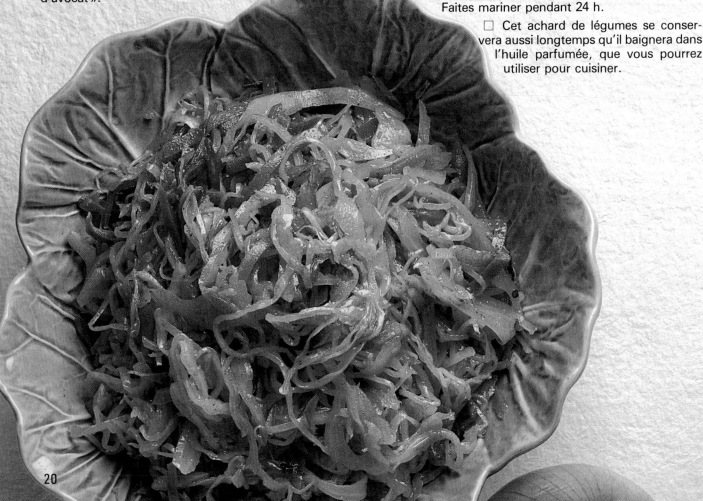

Dombrés
★ aux haricots rouges ★

Pour 4 personnes. Trempage : 12 h. Préparation : 25 mn.
Repos de la pâte : 12 h. Cuisson : 1 h 15

- *400 g de haricots rouges secs*
- *1 queue de cochon*
- *3 ou 4 ciboules*
- *1 gousse d'ail*
- *2 cuil. à soupe de ciboulette hachée*
- *1 petit piment séché*
- *sel, poivre*

Pour les dombrés :
- *150 g de farine*
- *2 œufs + 2 jaunes*
- *1 piment séché*
- *100 g de beurre*
- *1 pincée de sel*

1. La veille, plongez les haricots dans de l'eau froide et laissez-les tremper pendant toute la nuit.

2. Préparez la pâte des dombrés : cassez les œufs entiers dans un bol et battez-les. Émiettez le piment. Coupez le beurre en dés. Mettez la farine dans une jatte et creusez-la en fontaine. Versez-y les œufs battus, les jaunes, le piment et 1 pincée de sel, puis malaxez. Ajoutez le beurre et pétrissez le tout, jusqu'à obtention d'une pâte homogène. Roulez celle-ci en boule et laissez-la reposer pendant toute la nuit dans un endroit frais.

3. Le lendemain, égouttez les haricots. Coupez la queue de cochon en morceaux. Épluchez les ciboules, et hachez-les. Pelez la gousse d'ail et coupez-la en deux. Émiettez le piment. Mettez ces éléments dans une cocotte et couvrez de quelques centimètres d'eau. Laissez cuire pendant 1 h environ, jusqu'à ce que les haricots commencent à s'attendrir.

4. Pendant ce temps, abaissez la pâte à dombrés sur une planche en bois et découpez-y des disques de 10 cm de diamètre à l'aide d'un emporte-pièce ou d'un simple verre.

5. Après le premier temps de cuisson des haricots, salez-les et poivrez-les. Posez les disques de pâte dessus et faites-les pocher pendant 10 mn à feu doux. Servez dans la cocotte.

Féroce d'avocat
★ et de morue ★

Pour 2 personnes. Préparation : 10 mn environ

- *1 avocat*
- *200 g de morue dessalée (chiquetaille)*
- *1 verre de lait de coco (ou de lait)*
- *1 cuillerée d'huile*
- *1 jus de citron*
- *1 gousse d'ail*
- *1 oignon*
- *50 g de farine de manioc*

1. Faites une salade avec l'avocat en le coupant en petit dés, avec huile, citron, et ail pilé. Délayez la farine avec le lait ou le lait de coco ; dans un saladier, mélangez la chiquetaille de morue (voir recette ci-contre), la salade d'avocat ainsi que le mélange farine/lait.

☐ Vous pouvez décorer cette pâte bien relevée avec du poivron rouge en lamelles et du persil haché. Ce féroce d'avocat est souvent consommé par les Martiniquais en amuse-gueule.

Salade de langouste

Pour 4 personnes. Préparation : 25 mn. Cuisson : 25 mn

- *1 langouste de 1 kg*
- *1 litre de court-bouillon*
- *4 grosses tomates fermes*
- *1 avocat*
- *1 citron vert*
- *1 cuil. à soupe de persil haché*
- *3 cuil. à soupe de mayonnaise*

1. Ficelez la langouste. Faites bouillir le court-bouillon dans un faitout et plongez-y le crustacé. Laissez-le cuire pendant 25 mn, jusqu'à ce que la carapace prenne une couleur franchement rouge. Égouttez-le et laissez-le refroidir complètement.

2. Pendant ce temps, lavez les tomates, découpez-y une calotte du côté du pédoncule, puis éliminez l'eau de végétation et les graines. Fendez l'avocat en deux, retirez-en le noyau. Prélevez la chair à l'aide d'une petite cuillère et coupez-la en lamelles ou en dés. Coupez le citron en deux et pressez-le. Arrosez les morceaux d'avocat avec le jus obtenu pour les empêcher de noircir.

3. Lorsque la langouste est froide, déficelez-la et décortiquez-la. Recueillez les œufs, le cas échéant, écrasez-les et incorporez-les à la mayonnaise. Découpez la chair en dés.

4. Mettez la langouste, l'avocat et la mayonnaise dans une jatte et mélangez délicatement, de façon que tous les morceaux de langouste et d'avocat soient enrobés de sauce. Garnissez les tomates avec cette préparation et parsemez le dessus de chacune d'elles d'un peu de persil. Servez frais.

Pâte à acras

Pour 50 cl de pâte environ. Préparation et cuisson : 15 mn. Repos de la pâte : 3 h

- *200 g de farine*
- *20 cl de lait*
- *2 œufs*
- *1 gousse d'ail*
- *1 cuil. à soupe de persil haché*
- *1 pincée de thym*
- *100 g de beurre*
- *sel, poivre*

1. Cassez les œufs dans un bol et battez-les. Pelez l'ail et écrasez-le au presse-ail. Faites fondre le beurre dans une petite casserole, à feu doux.

2. Mettez la farine dans une jatte et creusez un puits au centre. Versez le lait et le beurre dans ce puits et mélangez en ramenant peu à peu la farine au centre, jusqu'à obtention d'une pâte lisse. Ajoutez les œufs, l'ail, le persil, le thym, du sel et du poivre, puis battez soigneusement au fouet. Couvrez et laissez reposer pendant au moins 3 h.

☐ Mélangée avec un volume égal de morue pilée ou bien de morceaux de cervelle ou de légumes, cette pâte sert à la préparation des acras. Ces acras sont ensuite plongés dans de l'huile de friture et servis chauds, comme des beignets.

Salade de langoustines et de poisson

Pour 4 personnes. Préparation et cuisson : 30 mn

- *8 langoustines*
- *3 filets de poisson*
- *1 poivron rouge*
- *150 g de fèves ou de pois écossés*
- *1 pamplemousse*
- *1 citron vert*
- *1 salade*
- *1 bol de vinaigrette épicée*

1. Faites pocher les filets de poisson au court-bouillon. Coupez-les en morceaux.

2. Faites cuire les langoustines également au court-bouillon pendant 10 mn. Décortiquez-les.

3. Coupez en dés le pamplemousse épluché à cru.

4. Épluchez, lavez et préparez la salade ainsi que le poivron.

5. Faites cuire les fèves décortiquées (ou les pois) à l'eau bouillante pendant 4 mn, puis passez-les à la poêle au beurre pendant quelques minutes.

6. Arrosez du citron vert poisson et langoustines.

7. Préparez la vinaigrette avec une huile aromatisée au piment.

8. Dans un grand saladier, mélangez salade, poivrons, pois ou fèves, carrés de pamplemousses, langoustines et poisson, avec la vinaigrette et mettez au frais avant de servir.

Salade de poissons crus

Pour 4 personnes. Préparation : 30 mn. Dégorgement : 2 h. Marinade : 30 mn

- *800 g de filets de poisson*
- *1 noix de coco*
- *1 concombre*
- *2 citrons verts*
- *1 oignon*
- *2 cuil. à soupe de gros sel*
- *sel fin, poivre*

Pour servir :
- *2 citrons verts*
- *persil ou ciboule hachés*
- *1 pincée de piment*

1. Placez un saladier au réfrigérateur. Retirez les arêtes des filets de poisson, essuyez ces derniers avec du papier absorbant et coupez-les en dés. Lavez le concombre et coupez-le en rondelles. Mettez le poisson et le concombre dans une passoire et poudrez-les de gros sel. Mélangez et laissez dégorger pendant 2 h au moins.

2. Au bout de ce temps, rincez le poisson et le concombre et épongez-les soigneusement. Percez deux des trois yeux de la noix de coco à l'aide d'un tournevis et d'un marteau, puis recueillez le jus qui se trouve à l'intérieur. Fendez la coque à l'aide du marteau et décollez la pulpe en glissant la lame d'un couteau dessous. Pelez celle-ci avec un couteau économe et râpez-la. Coupez 2 citrons en deux et pressez-les. Épluchez l'oignon et hachez-le finement.

3. Mettez le poisson dans le saladier frais et arrosez-le du jus de citron. Ajoutez le concombre, le jus et la pulpe de coco et l'oignon. Poivrez et mélangez. Laissez mariner pendant 30 mn au réfrigérateur.

4. Au moment de servir, poudrez la salade de piment et mélangez-la une dernière fois. Parsemez-la de persil ou de ciboule. Coupez les citrons en quatre et décorez-en la salade.

Œufs au boudin et à la tomate

Pour 4 personnes. Préparation : 15 mn. Cuisson : 15 mn

- 6 œufs
- 2 portions de boudin aux épices
- 1 oignon
- 1 gousse d'ail
- 3 cuil. à soupe de coulis de tomate (p. 56)
- 1 cuil. à soupe de persil haché
- 1 piment antillais râpé
- 20 g de beurre
- 1 cuil. à soupe d'huile
- sel

1. Ôtez délicatement la peau du boudin et coupez-le en rondelles de 1 à 2 cm. Pelez l'oignon et émincez-le finement en défaisant les anneaux. Épluchez la gousse d'ail, fendez-la en deux et frottez-en le fond d'une grande poêle.

2. Faites chauffer l'huile dans la poêle, ajoutez le beurre et, lorsqu'il est fondu, faites-y revenir l'oignon, jusqu'à ce qu'il soit translucide. Posez les rondelles de boudin à plat sur les anneaux d'oignon et faites-les dorer sur les deux faces. Retirez le tout de la poêle.

3. Cassez les œufs un à un dans la poêle et faites-les cuire pendant 4 mn à feu doux. Salez, puis ajoutez le piment râpé et le coulis de tomates. Recouvrez avec l'oignon et le boudin de façon décorative. Laissez cuire pendant encore 2 mn et poudrez de persil. Servez sur un plat chaud.

★★

Acras de pois « yeux noirs »

Pour 4 personnes. Trempage : 12 h. Préparation : 30 mn. Cuisson : 15 mn

- 200 g de pois de bois (p. 8)
- 1 piment antillais
- 1 gousse d'ail
- 1 cuil. à soupe de persil haché
- 1/4 cuil. à café de bicarbonate de soude
- 1 pincée de thym
- 10 cl de lait
- 50 g de farine environ
- huile pour friture
- sel, poivre

1. La veille, plongez les haricots dans une jatte d'eau froide et laissez-les tremper pendant toute la nuit.

2. Le lendemain, rincez les haricots et retirez-en la peau. Lavez le piment et coupez-le en anneaux, en éliminant le pédoncule. Pelez l'ail et écrasez-le au presse-ail. Délayez le bicarbonate de soude dans 1 cuillerée à soupe d'eau.

3. Mettez les haricots, le piment, l'ail et le persil dans un mortier et pilez le tout, jusqu'à obtention d'une purée. Incorporez à cette purée le lait, le bicarbonate de soude et suffisamment de farine pour obtenir une pâte ferme. Salez et poivrez.

4. Faites chauffer l'huile dans une friteuse et plongez-y une première cuillerée à soupe de pâte. Prélevez ainsi autant de cuillerées à soupe de pâte que possible et faites frire les acras, jusqu'à ce qu'ils soient bien dorés. Égouttez-les sur du papier absorbant. Servez chaud.

★

Boudin aux pommes

Pour 6 personnes. Préparation : 10 mn. Cuisson : 15 mn

- 6 portions de boudin aux épices
- 6 pommes
- 100 g de beurre

1. Coupez le boudin en rondelles. Épluchez les pommes, évidez-les et coupez-les en lamelles fines.

2. Faites fondre la moitié du beurre dans une poêle et faites-y dorer les lamelles de pomme à feu vif. Pressez-les ensuite les unes contre les autres pour former une galette et laissez cuire celle-ci sur feu très doux.

3. Pendant ce temps, faites fondre le reste du beurre dans une autre poêle et faites-y frire les rondelles de boudin pendant 5 mn environ, jusqu'à ce qu'elles soient dorées. Posez-les sur les pommes et servez aussitôt.

Soupe de chaubettes ★

Pour 4 personnes. Préparation et cuisson : 1 h

- 1 kg de chaubettes, de praires ou de coques (p. 7)
- 2 carottes
- 2 poireaux
- 2 navets
- 2 pommes de terre
- 1 cœur de chou vert
- 1 céleri
- 8 ciboules
- 2 piments antillais
- le jus de 1 citron vert
- 50 cl de court-bouillon
- 3 cuil. à soupe d'huile
- sel, poivre

Pour servir :
- *cerfeuil haché*
- *persil haché*
- *dés de fruit à pain frits (p. 8)*

1. Brossez les coquillages sous l'eau courante et mettez-les dans un faitout. Ajoutez le jus de citron et suffisamment d'eau pour les couvrir. Faites-les cuire à feu vif, jusqu'à ce qu'ils s'ouvrent. Retirez-les de leur coquille et filtrez le liquide de cuisson.

2. Épluchez les légumes, lavez-les et coupez-les en petits dés. Rincez le piment et coupez-le en anneaux fins.

3. Faites chauffer l'huile dans une cocotte et faites-y revenir les légumes et le piment en mélangeant pendant 10 mn environ, jusqu'à ce qu'ils soient translucides. Versez le court-bouillon et 20 cl d'eau. Laissez cuire pendant 10 mn à feu vif.

4. Ajoutez les mollusques et leur liquide de cuisson, puis faites réchauffer le tout en mélangeant. Salez et poivrez. Versez la soupe dans une soupière chaude et poudrez-la de cerfeuil et de persil. Servez avec des dés de fruit à pain frits.

Chatrou aux pois rouges ★★

Pour 4 personnes. Préparation : 20 mn. Cuisson : 45 mn

- 1 gros poulpe
- 3 tomates
- 1 citron vert
- 1 piment antillais
- 1 oignon
- 1 gousse d'ail
- 1 bouquet garni
- graines de bois d'Inde
- 1 cuil. à soupe d'huile
- sel, poivre

Pour servir :
- *haricots rouges cuits bien épicés*
- *fines herbes hachées*

1. Coupez les tentacules du poulpe, puis retournez la poche du corps. Lavez-la en retirant la poche à encre et les organes internes. Retournez-la à nouveau. Battez longuement le poulpe avec un battoir en bois et coupez-le en morceaux. Ébouillantez les tomates pendant 30 secondes, pelez-les et coupez-les en deux. Retirez-en les graines. Coupez le citron en deux et pressez-le. Rincez le piment. Pelez l'oignon et l'ail. Émincez l'oignon.

2. Faites chauffer l'huile dans une cocotte et faites-y revenir le poulpe, le piment, l'ail, le bouquet garni et le bois d'Inde pendant 1 mn en mélangeant à la cuillère en bois. Ajoutez les tomates, l'oignon et 1 pincée de sel. Couvrez d'eau et portez à ébullition. Laissez cuire à feu doux, jusqu'à ce que tout le liquide soit absorbé.

3. Retirez le bouquet garni et rectifiez l'assaisonnement. Arrosez du jus de citron. Mettez le poulpe au centre d'un plat creux et disposez les haricots rouges autour, en couronne. Poudrez le tout de fines herbes et servez.

★

Matoutou crabes

Pour 4 personnes. Préparation et cuisson : 40 mn

- 8 à 10 crabes de mer : étrilles ou 2 tourteaux
- le jus de 1 citron
- 3 ciboules
- 2 oignons
- 3 gousses d'ail
- 1 piment séché
- 1 cuil. à soupe de persil haché
- 1 feuille de laurier
- 1 pincée de thym
- huile d'olive
- sel, poivre

Pour servir :
- 200 g de riz long

1. Nettoyez les crabes et jetez-les dans un faitout d'eau bouillante. Faites-les cuire pendant 10 mn, puis égouttez-les, en recueillant le liquide, et laissez-les refroidir.

2. Pendant ce temps, épluchez les ciboules et coupez-les en rondelles. Pelez les oignons et l'ail, puis émincez-les. Émiettez le piment. Mettez le riz à cuire dans l'eau de cuisson des crabes.

3. Décortiquez les crustacés et prélevez-en la chair. Faites chauffer l'huile dans une cocotte et faites-y revenir la chair de crabe, les ciboules, les oignons, l'ail, le persil et le thym. Couvrez d'eau, puis ajoutez le jus de citron, le piment et le laurier. Salez et poivrez.

4. Couvrez la cocotte et laissez cuire pendant 10 mn à feu doux. Servez avec le riz.

☐ Ce matoutou crabes peut s'accompagner de farine de manioc à la place du riz.

☐ Vous pouvez faire cuire les crabes directement dans l'huile, mais le plat en sera moins parfumé.

☐ La tradition veut que l'on nourrisse, avant de les utiliser, des crabes captifs pendant 10 jours avec du maïs, des fruits et quelques piments.

27

Riz aux harengs

Pour 4 pers. Tremp. : 3 h. Préparation et cuisson : 45 mn

- 5 harengs saurs
- 250 g de riz long
- 1 piment antillais
- le jus de 1 citron vert
- 3 ciboules
- 2 oignons
- 1 gousse d'ail
- 15 cl de lait
- 1 cuil. à soupe d'huile
- sel, poivre

1. Ôtez la peau des harengs et levez les filets. Mettez ceux-ci dans un plat creux et couvrez-les de lait. Laissez-les tremper pendant 3 h.

2. Au bout de ce temps, rincez les filets de poisson et épongez-les. Lavez le riz dans une passoire. Rincez le piment et coupez-le en anneaux, en éliminant le pédoncule et les graines. Épluchez les ciboules et l'ail, puis hachez-les finement. Pelez les oignons et émincez-les finement en défaisant les anneaux.

3. Faites chauffer l'huile dans une poêle et faites-y revenir le piment, les ciboules, les oignons et l'ail en mélangeant pendant quelques minutes, jusqu'à ce qu'ils deviennent translucides. Ajoutez les filets de hareng et faites-les dorer sur les deux faces.

4. Couvrez les filets de poisson avec de l'eau et portez doucement à ébullition. Retirez le poisson et mettez le riz à la place. Laissez cuire, jusqu'à ce que tout le liquide soit absorbé. Salez et poivrez.

5. Mettez le riz dans un plat et posez les filets de hareng dessus. Arrosez ces derniers du jus de citron. Servez aussitôt.

Colombo de crabes

Pour 4 personnes. Préparation : 20 mn. Cuisson : 30 mn

- 12 petits crabes
- 1/2 fruit à pain (p. 8)
- 1 carotte
- 1 tomate
- 50 cl de court-bouillon
- 1 piment
- 1 oignon
- 1 gousse d'ail
- 2 brins de persil
- 2 cuil. à soupe de colombo (p. 7)
- jus de citron vert
- 1 cuil. à soupe d'huile
- sel, poivre

Pour servir :
- persil haché
- petits crabes entiers

1. Décortiquez les crabes et arrosez la chair de jus de citron. Poudrez-la de sel et de poivre. Épluchez le morceau de fruit à pain et coupez-le en dés. Grattez la carotte, lavez-la et coupez-la en rondelles fines. Ébouillantez la tomate pendant 30 secondes et pelez-la. Coupez-la en quatre, ôtez les graines et écrasez la pulpe. Fendez le piment en deux, retirez les graines et le pédoncule, puis rincez la pulpe et hachez-la. Pelez l'oignon et l'ail et émincez-les finement. Lavez le persil et égouttez-le.

2. Faites chauffer l'huile dans une cocotte et faites-y revenir carotte, piment, oignon, ail et persil, jusqu'à ce

qu'ils soient translucides. Ajoutez la chair de crabe, les dés de fruit à pain, la tomate, le court-bouillon et le colombo. Mélangez, couvrez et laissez cuire pendant 20 mn.

3. Retirez la chair de crabe et écrasez-la au tamis. Remettez la purée obtenue dans la cocotte avec les parties crémeuses et le corail (taumali). Mélangez le tout sur feu doux. Servez dans un plat avec du persil haché et quelques petits crabes en décoration.

Soufflé aux fruits de mer

Pour 4 personnes. Préparation et cuisson : 50 mn

- 250 g de chair de fruits de mer cuits au court-bouillon : langouste, crevettes, langoustines, crabes, oursins...
- 300 g de pommes de terre
- 5 œufs
- 40 g de gruyère râpé
- 1 piment doux
- 2 oignons
- 1 gousse d'ail
- 1 cuil. à soupe de chapelure blanche
- 2 cuil. à soupe de persil haché
- 15 g de beurre
- 1 cuil. à soupe d'huile
- sel
- poivre

1. Épluchez les pommes de terre, lavez-les et coupez-les en morceaux. Faites-les cuire 10 ou 15 mn dans une casserole d'eau bouillante salée.

2. Pendant ce temps, émiettez la chair des fruits de mer à l'aide d'une fourchette. Cassez les œufs en séparant les blancs des jaunes. Fendez le piment en deux, retirez le pédoncule et les graines, puis rincez la pulpe et hachez-la finement. Pelez les oignons et émincez-les. Épluchez l'ail et écrasez-le au presse-ail. Beurrez un moule à soufflé.

3. Chauffez le four à 200°, thermostat 6. Faites chauffer l'huile dans une poêle et faites-y fondre les oignons, jusqu'à ce qu'ils soient translucides.

4. Lorsque les pommes de terre sont cuites, égouttez-les et passez-les au moulin à légumes pour les réduire en purée. Mélangez cette purée avec la chair des fruits de mer, les jaunes d'œufs, le piment, les oignons, l'ail et le persil. Salez et poivrez.

5. Battez les blancs d'œufs en neige ferme avec une pincée de sel et incorporez-les à la préparation précédente. Versez le tout dans le moule à soufflé en égalisant la surface. Poudrez de gruyère râpé et de chapelure, parsemez de noisettes de beurre et faites cuire au four pendant 30 mn environ. Servez dès la sortie du four.

☐ Vous pouvez remplacer la chair de fruits de mer par du poisson cuit au court-bouillon.

Homard farci au gril

Pour 2 personnes. Préparation et cuisson : 30 mn

- 1 gros homard
- 1 piment rouge
- 1 cuil. à soupe de madère
- 25 g de beurre
- 1 cuil. à soupe d'huile d'olive
- sel, poivre

1. Faites chauffer le gril du four. Coupez le homard en deux en suivant la ligne médiane du dos, prélevez-en la chair et conservez-en la carapace.

2. Fendez le piment en deux, ôtez le pédoncule et les graines, rincez la pulpe et hachez-la finement. Faites fondre le beurre dans une petite casserole.

3. Mélangez la chair de homard avec le piment, le madère, le beurre fondu et l'huile. Salez et poivrez. Remplissez les moitiés de homard avec cette préparation.

4. Placez les demi-homards sous le gril et faites-les cuire de 15 à 20 mn, jusqu'à ce qu'ils soient légèrement dorés sur le dessus.

☐ Vous pouvez également griller les demi-homards au barbecue tels quels, puis les arroser du mélange piment/madère/beurre/huile.

Langouste grillée

Pour 2 personnes. Préparation 10 mn. Cuisson : 20 mn

- 1 langouste vivante de 1,250 kg
- 1 feuille de giraumon (p. 8)
- 1 citron vert
- 4 cuil. à soupe d'huile
- sel, poivre

Pour servir :
- sauce chien (p. 58)

1. Allumez le gril du four. Placez la pointe d'un long couteau de cuisine entre les antennes de la langouste, puis frappez d'un coup sec avec un marteau : l'animal doit ainsi mourir sans souffrance.

2. Coupez le citron en deux et pressez-le. Mélangez le jus obtenu avec un peu d'huile. Frottez la chair de la langouste avec une feuille de giraumon. Salez, poivrez et arrosez du mélange jus de citron/huile.

3. Faites griller les moitiés de langouste pendant quelques minutes sur les deux faces. Badigeonnez-les à nouveau d'huile et laissez-les griller pendant encore 7 ou 8 mn sur chaque face, en veillant à ce qu'elles ne dorent pas trop vite. Servez chaud avec une sauce chien en saucière.

POISSONS ET CRUSTACÉS

31

Crabes farcis au rhum

Pour 4 personnes. Préparation et cuisson : 25 mn

- 8 crabes
- 50 g de lard de poitrine salée maigre
- 25 g de chapelure blanche
- 4 échalotes
- 2 gousses d'ail
- 1 piment antillais
- 1 litre de court-bouillon (p. 8)
- 20 cl de lait
- 15 cl de rhum
- 1 cuil. à soupe de persil haché
- sel
- poivre

1. Faites chauffer le court-bouillon dans un faitout et, lorsqu'il bout, plongez-y les crabes. Laissez cuire pendant 15 mn.

2. Pendant ce temps, ôtez la couenne du lard et taillez-le en tout petits dés. Mettez la chapelure à tremper dans le lait. Pelez les échalotes et émincez-les. Épluchez l'ail et écrasez-le au presse-ail. Fendez le piment en deux, ôtez-en le pédoncule et les graines. Rincez la pulpe et hachez-la finement.

3. Lorsque les crabes sont cuits, égouttez-les et laissez-les refroidir. Ouvre-les sans briser les carapaces et prélevez-en la chair. Émiettez celle-ci à la fourchette en éliminant les cartilages. Essorez la chapelure dans vos mains.

4. Faites revenir le lard dans une poêle à feu doux et, lorsqu'il a rendu sa graisse, ajoutez-y les échalotes, l'ail, le piment et le persil. Laissez-les dorer légèrement. Ajoutez la chair des crabes et la chapelure. Salez, poivrez et mélangez le tout pendant 5 mn à feu doux. Arrosez avec le rhum et mélangez une dernière fois.

5. Farcissez les carapaces de crabe avec la préparation précédente en formant un dôme. Servez aussitôt.

☐ Vous pouvez poudrer les crabes farcis de chapelure ou de fromage râpé et les passer au gril pendant 1 mn.

Macadam au court-bouillon

Pour 4 pers. Tremp. : 12 h. Prép. et cuis. : 40 mn

- 1 kg de morue salée
- 500 g de tomates
- le jus de 1 citron vert
- 2 oignons
- 2 gousses d'ail
- 1 piment séché
- 1 cuil. à soupe de ciboulette hachée
- 1 bouquet garni
- 2 cuil. à soupe d'huile
- sel

1. La veille, plongez la morue dans une jatte d'eau froide et laissez-la tremper toute la nuit en changeant l'eau plusieurs fois.

2. Le lendemain, ôtez la peau de la morue et coupez celle-ci en tranches. Lavez les tomates et coupez-les en morceaux. Émiettez le piment. Épluchez les oignons et émincez-les. Pelez l'ail et écrasez-le au presse-ail.

3. Faites chauffer l'huile dans une sauteuse et faites-y revenir les tomates, les oignons, la ciboulette et le bouquet garni. Ajoutez le poisson et faites-le cuire pendant 10 mn à couvert.

4. Ajoutez 1,5 litre d'eau, le piment et une pincée de sel. Laissez cuire pendant encore 15 mn. Retirez le bouquet garni et mettez le jus de citron et l'ail à la place. Servez dans un plat creux avec du riz créole (p. 50).

☐ Vous pouvez servir le poisson sans le court-bouillon et réserver celui-ci pour une autre préparation : il se conservera très bien.

Blaff de poissons

Pour 4 pers. Prép. : 20 mn. Cuis. : 40 mn. Marinade : 2 h

- 1 kg de poissons variés écaillés et vidés (thon, dorade, thazard)
- 200 g de riz
- 25 cl de vin blanc sec
- 2 oignons
- 2 gousses d'ail
- 2 ou 3 ciboules
- 1 piment
- 1 citron vert
- 1 cuil. à soupe de persil haché
- 1 bouquet garni
- 3 graines de bois d'Inde
- 2 clous de girofle
- sel, poivre
- marinade pour poisson (p. 8)

1. Émiettez les poissons et coupez les plus gros en tranches (gardez les petits entiers). Mettez-les dans un plat creux et arrosez-les de marinade. Mélangez et laissez mariner pendant 2 h.

2. Au bout de ce temps, épluchez les oignons, l'ail et les ciboules, puis hachez-les finement. Lavez le citron et prélevez-en une lanière de zeste, à l'aide d'un couteau zesteur. Coupez-le en deux et pressez-en 1 moitié. Rincez le piment.

3. Mettez dans un faitout vin, oignon, ail, zeste de citron, piment, persil, bouquet garni, bois d'Inde et girofle. Salez, poivrez et ajoutez 75 cl d'eau. Portez à ébullition et laissez cuire pendant 15 mn à feu vif.

4. Plongez les poissons dans le court-bouillon et faites-les cuire pendant 10 mn. Égouttez-les à l'aide d'une écumoire et tenez-les au chaud. Éliminez le piment.

5. Jetez le riz dans le court-bouillon et laissez-le cuire pendant 15 mn. Égouttez-le soigneusement dans une passoire au-dessus d'une jatte pour recueillir le court-bouillon. Incorporez à celui-ci le jus de citron. Retirez le bouquet garni.

6. Mettez le riz dans un plat creux chaud et posez les morceaux de poisson dessus. Servez aussitôt avec le court-bouillon à part.

☐ Le blaff de poissons peut également se préparer avec des ignames.

Thon au four ★

Pour 4 pers. Marinade : 2 h. Prép. et cuis. : 30 mn

- 4 tranches de thon de 150 g chacune
- 20 cl de vin blanc sec
- 3 oignons
- 2 gousses d'ail
- 1 cuil. à café de piment en poudre
- marinade pour poisson (p. 8)
- sel, poivre

Pour servir :
- sauce tomate
- persil haché
- jus de citron vert

1. Retirez la peau et les arêtes des tranches de poisson. Mettez celles-ci côte à côte dans un plat creux et arrosez-les de la marinade. Laissez mariner pendant 2 h.

2. Au bout de ce temps, faites chauffer le four à 170°, thermostat 5. Pelez les oignons et émincez-les en défaisant les anneaux. Épluchez l'ail et hachez-le.

3. Placez les poissons dans un plat à feu et recouvrez-les avec les oignons et l'ail. Poudrez-les de piment, de sel et de poivre, puis arrosez -les de vin blanc. Laissez cuire de 20 à 30 mn.

4. Servez ces tranches de thon avec une sauce tomate et du persil haché ou, simplement, avec du jus de citron.

☐ Vous pouvez également faire griller le thon au barbecue : supprimez alors le vin blanc.

34

★ Rougets marinés

Pour 4 pers. Marinade : 30 mn. Prép. et cuis. : 25 mn

- 500 g de rougets écaillés et vidés
- 2 litres de court-bouillon créole froid (p. 8)
- 1 oignon
- 1 bouquet garni
- piment en poudre
- 3 cuil. à soupe d'huile
- sel, poivre

Pour la sauce :
- le jus de 2 citrons verts
- 1 gousse d'ail
- 1 cuil. à soupe de persil haché
- 2 cuil. à soupe d'huile d'olive
- poivre

1. Mettez les poissons dans un plat creux et versez le court-bouillon dessus. Laissez-le mariner pendant 30 mn.

2. Égouttez les poissons et épongez-les avec du papier absorbant. Pelez l'oignon et émincez-le en défaisant les anneaux.

3. Faites chauffer l'huile dans une grande poêle et faites-y revenir l'oignon pendant 2 mn. Ajoutez les poissons et faites-les frire pendant 1 mn sur chaque face. Salez et poivrez. Recouvrez de 1 ou 2 cm d'eau, puis ajoutez le bouquet garni et une pointe de piment en poudre. Laissez cuire pendant 10 mn à couvert.

4. Pendant ce temps, préparez la sauce : pelez l'ail et pilez-le au mortier. Mettez-le dans une casserole, ajoutez le jus de citron, le persil, l'huile et une pincée de poivre. Mélangez et faites chauffer à feu doux.

5. Lorsque les poissons sont cuits, égouttez-les et mettez-les dans un plat chaud en éliminant le bouquet garni. Versez la sauce sur les poissons. Servez aussitôt.

★ Gratin de morue

Pour 4 pers. Tremp. : 12 h. Prép. : 30 mn. Cuis. : 20 mn

- 1 kg de morue salée
- 1 piment séché
- 2 oignons
- 3 gousses d'ail
- 2 ciboules
- 1 bouquet de persil
- 20 cl de lait ou lait de coco
- 15 g de chapelure
- 20 g de beurre
- 3 cuil. à soupe d'huile
- sel, poivre

1. La veille, plongez la morue dans de l'eau froide et laissez-la tremper toute la nuit, en changeant l'eau plusieurs fois.

2. Le lendemain, égouttez la morue et coupez-la en petits morceaux. Émiettez le piment dans un mortier, ajoutez-y le poisson et pilez le tout, jusqu'à obtention d'une purée épaisse.

3. Pelez les oignons et émincez-les en défaisant les anneaux. Pelez l'ail et écrasez-le au presse-ail. Épluchez les ciboules et coupez-les en rondelles fines. Lavez le persil, égouttez-le et coupez-en les tiges. Hachez finement les feuilles.

4. Faites chauffer l'huile dans une grande poêle et faites-y dorer légèrement morue, oignons, ail, ciboules et persil. Versez le lait et laissez cuire en remuant de temps en temps, jusqu'à ce que la préparation soit d'une consistance un peu ferme. Salez, poivrez et retirez du feu.

5. Allumez le gril du four. Étalez la préparation à la morue dans un plat à feu et poudrez-la de chapelure. Coupez le beurre en noisettes et parsemez-en le dessus du plat. Faites gratiner pendant quelques minutes.

VIANDES ET VOLAILLES

Côtes de porc au poivron

Pour 4 personnes. Préparation et cuisson : 45 mn

- 4 côtes de porc
- 1 poivron vert
- le jus de 1/2 citron vert
- 1 oignon
- 2 gousses d'ail
- 20 cl de bouillon de viande
- 20 g de beurre
- 2 cuil. à soupe d'huile
- sel, poivre

1. Lavez le poivron et coupez-le en anneaux en éliminant les graines. Pelez l'oignon et l'ail, puis émincez-les finement.

2. Faites chauffer l'huile dans une grande poêle et faites-y revenir le poivron, l'oignon et l'ail, jusqu'à ce qu'ils soient translucides.

3. Ajoutez les côtes de porc dans la poêle et faites-les dorer pendant 3 mn sur chaque face. Salez, poivrez et arrosez avec le bouillon. Laissez cuire pendant 30 mn à feu doux et à couvert.

4. Lorsque la viande est cuite, incorporez le jus de citron et le beurre au jus de cuisson. Servez dans un plat chaud avec du riz ou du maïs.

Rôti de porc aux épices

Pour 6 personnes. Préparation : 10 mn. Cuisson : 1 h 30

- 1 rôti de porc de 1,500 kg ficelé
- le jus de 1 citron vert
- 25 cl de bouillon de viande
- 3 gousses d'ail
- 1 cuil. à café de gingembre
- graines de bois d'Inde (p. 8)
- 25 g de beurre
- sel, poivre

1. Pelez l'ail et écrasez-le au pilon dans un mortier avec une douzaine de graines de bois d'Inde, le gingembre, du sel et du poivre, jusqu'à obtention d'une pâte.

2. Faites des incisions à intervalles réguliers dans le rôti et introduisez-y un peu du mélange d'ail et d'épices. Mettez la pièce de viande dans une cocotte et versez le bouillon dessus. Salez, poivrez et laissez cuire pendant 1 h 30 à feu doux et à couvert.

3. Lorsque le rôti est prêt, retirez-le de la cocotte. Dégraissez le jus de cuisson et incorporez-y le jus de citron et le beurre. Déficelez la viande et découpez-la en tranches. Disposez celles-ci sur un plat chaud. Servez avec la sauce à part, dans un bol.

Bœuf braisé

Pour 4 personnes. Préparation et cuisson : 2 h 15

- 750 g de viande de bœuf à braiser
- 2 oignons
- 25 g de beurre
- 2 cuil. à soupe de farine
- 3 cuil. à soupe de coulis de tomate
- 50 cl de bouillon
- 1 piment antillais
- 2 cuil. à soupe d'huile
- 1 cuil. à soupe de persil haché
- sel, poivre

1. Coupez le morceau de bœuf en cubes de 2,5 cm.

2. Faites un roux avec le beurre, la farine et le bouillon dans une cocotte et ajoutez-y le coulis de tomate.

3. Pelez les oignons et émincez-les finement. Faites chauffer l'huile dans une poêle et faites-y revenir les oignons, jusqu'à ce qu'ils soient translucides.

4. Retirez les oignons et mettez-y à la place les cubes de viande. Faites-les revenir de tous les côtés, puis égouttez-les à l'écumoire.

5. Ajoutez les oignons et la viande dans la cocotte. Salez, poivrez. Laissez cuire à feu doux pendant 2 h.

6. Incorporez, avant la fin de cuisson, un piment préparé que vous retirerez avant de servir.

7. Lorsque la viande est tendre, versez la préparation dans un plat creux et servez, parsemé de persil haché.

☐ Vous pouvez accompagner ce bœuf braisé de pommes de terre vapeur et d'épinards en branches.

Canard braisé

★

Pour 6 personnes. Préparation et cuisson : 1 h 45

- 1 gros canard vidé et bridé
- le jus de 1 citron vert
- 25 cl de bouillon de volaille
- 1 cuil. à soupe de fécule
- 1 pincée de piment
- 1 cuil. à soupe d'huile
- 15 g de beurre mou
- sel, poivre

1. Faites chauffer l'huile dans une cocotte, ajoutez le beurre et quand il est fondu, faites-y dorer le canard sur toutes les faces. Ajoutez le bouillon et le piment. Salez et poivrez. Couvrez et faites cuire pendant 1 h 30 à feu doux, en veillant à ce qu'il reste toujours un peu de liquide dans le fond de la cocotte.

2. Lorsque le canard est cuit, retirez-le de la cocotte et débridez-le. Incorporez la fécule au jus de cuisson et mélangez pendant 1 mn, jusqu'à ce que la sauce prenne consistance. Ajoutez le jus de citron et mélangez une dernière fois. Servez le canard sur un plat chaud avec la sauce à part en saucière.

☐ Vous pouvez arroser le canard de 2 cuillerées à soupe de rhum en fin de cuisson et le flamber.

Poulet pané

★

Pour 4 pers. Prép. : 15 mn. Marinade : 2 h. Cuis. : 30 mn

- 1 poulet de 1,250 kg vidé, coupé en morceaux
- huile pour friture
- sel, poivre en grains

Pour la marinade :
- 1 citron vert
- 5 ciboules

- 2 gousses d'ail
- 1 feuille de bois d'Inde (p. 7)
- 3 cuil. à soupe d'huile

Pour la panure :
- 1 œuf
- 25 g de farine
- 25 g de chapelure

1. Préparez la marinade : coupez le citron en deux et pressez-le. Épluchez les ciboules et hachez-les. Pelez l'ail et écrasez-le au presse-ail. Écrasez quelques grains de poivre.

2. Mettez le jus de citron, les ciboules, l'ail, le bois d'Inde, les 3 cuillères à soupe d'huile, le poivre et 1 pincée de sel dans un bol, puis mélangez.

3. Posez les morceaux de poulet côte à côte dans un plat creux et enduisez-les de la préparation précédente, à l'aide d'un pinceau. Couvrez avec un torchon et laissez mariner pendant 2 h, en badigeonnant de temps en temps les morceaux de volaille du reste de marinade.

4. Au bout de ce temps, cassez l'œuf dans une jatte et battez-le. Étalez la farine et la chapelure dans 2 assiettes creuses. Roulez les morceaux de poulet successivement dans la farine, l'œuf battu et la chapelure.

5. Faites chauffer de l'huile dans une grande friteuse, plongez-y les morceaux de poulet. Faites-les frire pendant 30 mn environ, selon leur grosseur, jusqu'à ce qu'ils soient bien dorés. Égouttez sur du papier absorbant et servez chaud.

Travers de cochon caramélisés ★

Pour 4 pers. Prép. : 15 mn. Marinade : 1 h. Cuis. : 20 mn

- 1,250 kg de travers de porc
- 25 g de miel crémeux
- 1 citron vert
- 2 échalotes
- 1 gousse d'ail
- 5 grains de quatre-épices
- 1 pincée de thym
- 1 pointe de piment de Cayenne
- 2 cuil. à soupe d'huile

1. Coupez les travers de porc en carrés de 4 cm de côté. Coupez le citron en deux et pressez-le. Pelez les échalotes et hachez-les finement. Épluchez l'ail et écrasez-le au presse-ail.

2. Mettez les échalotes, l'ail, les quatre-épices, le thym et le cayenne dans un bol, puis ajoutez l'huile et le miel en tournant à la cuillère de bois pour obtenir une pâte. Incorporez le jus de citron à cette pâte.

3. Enduisez les travers de porc avec la préparation précédente et laissez-les mariner pendant 1 h.

4. Au bout de ce temps, faites chauffer le gril du four. Éliminez l'excédent de marinade qui n'a pas pénétré dans la viande. Faites cuire les travers pendant 10 mn sur chaque face, en veillant à ce qu'ils caramélisent bien, sans brûler. Servez très chaud.

★★ Carry de mouton

Pour 4-6 personnes. Préparation : 15 mn. Cuisson : 2 h

- 1 kg de mouton maigre en morceaux
- 100 g de talon de jambon
- 250 g de crème fraîche épaisse
- 50 cl de lait de coco
- 3 tomates
- 2 citrons verts
- 1 oignon
- 3 gousses d'ail
- 1 bouquet garni
- 2 clous de girofle
- 50 cl de bouillon de viande
- 1 pincée de thym
- 1 pincée de noix muscade râpée
- 25 g de beurre
- sel
- poivre

1. Taillez le jambon en dés. Ébouillantez les tomates pendant 30 secondes et pelez-les. Coupez-les en deux, retirez-en les graines. Recoupez chaque moitié en morceaux et écrasez-les. Coupez les citrons en deux et pressez-les. Pelez l'oignon et émincez-le en défaisant les anneaux. Épluchez l'ail et écrasez-le au presse-ail.

2. Faites fondre le beurre dans une cocotte et faites-y revenir l'oignon, jusqu'à ce qu'il soit translucide. Ajoutez le jambon, les tomates, l'ail, le bouquet garni, le girofle et la muscade, puis faites-les dorer en mélangeant.

3. Ajoutez les morceaux de mouton et faites-les dorer à leur tour. Versez le lait de coco et le bouillon et mélangez. Laissez cuire pendant 10 mn environ, puis incorporez la crème fraîche et le jus des citrons. Salez, poivrez et mélangez une dernière fois. Faites cuire pendant 1 h 30 à feu doux et à couvert.

☐ Cette recette de carry de mouton est la véritable recette créole. Vous pouvez ajouter 15 g de carry en poudre en fin de cuisson si vous le souhaitez.

★★ Petits pâtés de porc

Pour 4 personnes. Préparation : 30 mn. Cuisson : 20 mn

- 300 g de porc désossé
- 300 g de pâte brisée
- 100 g d'épinards frais
- 3 oignons
- 2 gousses d'ail
- 1 piment antillais
- 2 cuil. à soupe de persil haché
- 1 pincée de thym
- 2 graines de bois d'Inde (p. 7)
- 1 clou de girofle
- 1 jaune d'œuf
- 30 g de farine
- 3 cuil. à soupe d'huile
- sel, poivre

1. Coupez le porc en dés. Équeutez les épinards et lavez-les à plusieurs eaux. Épluchez les oignons et coupez-les en deux. Pelez l'ail. Détachez le pédoncule du piment. Passez le clou de girofle au moulin à poivre. Battez le jaune d'œuf.

2. Faites bouillir de l'eau dans une casserole et plongez-y les épinards. Laissez-les blanchir pendant 1 mn, puis égouttez-les soigneusement dans une passoire, en les écrasant avec le dos d'une cuillère.

3. Mettez porc, épinards, oignons, ail, piment, persil, thym, bois d'Inde et clou de girofle dans le bol d'un mixeur. Salez, poivrez et mixez le tout.

4. Faites chauffer un peu d'huile dans une grande poêle et faites-y revenir le hachis en l'écrasant à la spatule, jusqu'à ce qu'il soit bien doré. Laissez refroidir cette farce.

5. Faites chauffer le four à 170°, thermostat 5, et sortez la plaque à pâtisserie de l'appareil. Farinez un plan de travail et abaissez-y la pâte brisée. Découpez une douzaine de disques de 6 ou 7 cm de diamètre à l'aide d'un emporte-pièce.

6. Déposez 1 cuillerée à soupe de farce sur chaque disque de pâte. Rabattez la pâte et pincez les bords pour les souder. Enduisez les pâtés de jaune d'œuf.

7. Huilez légèrement la plaque du four et placez-y les petits pâtés. Enfournez et laissez cuire pendant 20 mn, jusqu'à ce que les pâtés soient dorés. Servez chaud ou froid à l'apéritif.

☐ Ces petits pâtés de porc se servent également au repas de Noël.

Colombo de porc

Pour 8 personnes. Préparation : 15 mn. Cuisson : 1 h 15

- *2 kg de porc désossé*
- *250 g de choux des Caraïbes*
- *3 aubergines*
- *2 courgettes*
- *4 oignons*
- *3 gousses d'ail*
- *1 piment antillais*
- *le jus de 1 citron vert*
- *3 cuil. à café de colombo (p. 7)*
- *1 feuille de laurier*
- *1 pincée de thym*
- *3 cuil. à soupe d'huile*
- *25 g de beurre*
- *sel, poivre*

1. Taillez le porc en cubes. Épluchez les choux, lavez-les et égouttez-les. Rincez les aubergines et les courgettes et coupez-les en rondelles. Pelez les oignons et l'ail. Émincez les oignons.

2. Faites chauffer l'huile dans une cocotte, ajoutez le beurre et, lorsqu'il est fondu, faites-y dorer la viande, les choux et les oignons sur toutes les faces. Ajoutez les aubergines, les courgettes, l'ail, le laurier et le thym. Couvrez d'eau chaude, puis jetez la poudre de colombo en remuant. Laissez cuire pendant 1 h à feu doux et à couvert, en ajoutant le piment à mi-cuisson.

3. Retirez le piment et arrosez avec le jus de citron. Mélangez une dernière fois. Servez très chaud.

Carry de poulet

Pour 4 personnes. Préparation et cuisson : 1 h 15

- *1 poulet coupé en morceaux*
- *1 oignon*
- *1 cuil. à soupe de curry en poudre*
- *10 cl de lait de coco*
- *100 g de concentré de tomate*
- *2 cuil. à soupe d'huile*
- *thym*
- *laurier*
- *piment antillais*
- *sel, poivre*

1. Faites chauffer l'huile dans une sauteuse et faites-y revenir les morceaux de poulet, jusqu'à ce qu'ils soient bien dorés. Retirez-les et réservez-les.

2. Épluchez les oignons et émincez-les finement. Délayez la poudre de curry dans un 1/2 verre d'eau. Ajoutez ces éléments dans la sauteuse, ainsi que le concentré de tomate, le thym, le laurier et le piment antillais. Remuez pendant quelques minutes.

3. Ajoutez les morceaux de poulet, salez et poivrez et laissez mijoter à feu doux et à couvert, pendant 1 h, en remuant de temps à autre.

4. Lorsque le poulet est cuit, incorporez le lait de coco, mélangez et servez aussitôt.

☐ Vous pouvez parsemer le plat de pulpe de noix de coco râpée.

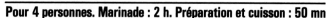

Fricassée de poulet au rhum ★★

Pour 4 personnes. Marinade : 2 h. Préparation et cuisson : 50 mn

- *1 poulet de 1,500 kg avec les abats, coupé en morceaux*
- *marinade pour volaille (p. 8)*
- *50 cl de bouillon de volaille*
- *10 cl de rhum*
- *le jus de 1 citron vert*
- *1 oignon*
- *1 bouquet garni*
- *1 cuil. à soupe d'huile*
- *sel*
- *poivre*

1. Mettez les morceaux de poulet et les abats dans un plat creux et arrosez-les de marinade. Laissez-les mariner pendant 2 h au réfrigérateur en les retournant de temps à autre.

2. Au bout de ce temps, pelez l'oignon et émincez-le. Faites chauffer l'huile dans une cocotte et faites-y revenir l'oignon, jusqu'à ce qu'il soit translucide. Égouttez les morceaux de poulet (sans les abats), ajoutez-les dans la cocotte et faites-les dorer sur toutes les faces.

3. Arrosez le poulet avec le bouillon, puis ajoutez le rhum, le jus de citron et le bouquet garni. Salez, poivrez et couvrez. Laissez cuire pendant 30 mn à feu doux, en ajoutant les abats 10 mn avant la fin de la cuisson.

4. Servez chaud accompagné d'un riz créole.

Entrecôtes grillées aux feuilles de manioc ★

Pour 4 personnes. Préparation et cuisson : 10 mn

- *800 g d'entrecôtes*
- *6 feuilles de manioc*
- *200 g d'arachides (cacahuètes)*
- *3 cuil. d'huile*
- *1 piment râpé*
- *2 gousses d'ail pilé*
- *beurre persillé*
- *sel*
- *poivre*

1. Découpez les entrecôtes dans le sens de la longueur en tranches de 3 cm de large, salez, poivrez.

2. Mettez les tranches de viande dans un saladier, afin de laisser s'écouler le sang.

3. Ajoutez les feuilles de manioc écrasées, les arachides, le piment râpé, l'ail pilé et les 3 cuillerées d'huile ; mélangez.

4. Faites griller au barbecue les lamelles de viande pendant 3 mn sur chaque face.

5. Servez avec beurre persillé et les arachides réduites en pâte avec le reste de la préparation.

Grillades de bœuf

Pour 4 personnes. Préparation et cuisson : 15 mn environ

- *4 tranches de bœuf à griller*
- *2 gousses d'ail*
- *1 brin de thym*
- *1 cuil. à soupe de vinaigre de vin*
- *4 cuil. à soupe d'huile*
- *sel, poivre*

1. Faites chauffer le gril du four à température élevée. Pelez l'ail et écrasez-le au presse-ail. Effeuillez le thym. Mélangez l'ail, le thym, le vinaigre et l'huile dans un bol, puis salez et poivrez.

2. Posez les tranches de viande dans un grand plat à feu creux et versez le mélange précédent dessus. Faites-les griller sur les deux faces, selon le degré de cuisson désiré.

3. Enduisez les tranches de viande du reste d'huile aromatisée à l'aide d'un pinceau et servez immédiatement.

Epaule d'agneau au riz

Pour 4-6 personnes. Préparation et cuisson : 45 mn

- *1 épaule d'agneau roulée*
- *250 g de riz*
- *2 oignons*
- *50 cl de court-bouillon de viande (p. 8)*
- *50 g de saindoux*
- *sel, poivre*

1. Faites bouillir de l'eau salée dans une casserole et jetez-y le riz. Faites-le blanchir pendant 1 mn, puis égouttez-le dans une passoire. Pelez les oignons et coupez-les en quatre.

2. Faites fondre le saindoux dans une cocotte et faites-y dorer la viande sur toutes les faces à feu vif. Salez et poivrez.

3. Ajoutez le bouillon, 50 cl d'eau, le riz et les oignons. Portez à ébullition, puis laissez cuire pendant 30 mn à feu doux, jusqu'à ce que le riz ait absorbé pratiquement tout le liquide.

4. Déficelez la viande et coupez-la en tranches. Servez avec le riz et le jus de cuisson.

Lapin mariné aux pruneaux

Pour 6 pers. Prép. : 15 mn. Marinade : 24 h. Cuis. : 1 h

- 1 lapin en morceaux
- 250 g de pruneaux
- 150 g de lard maigre
- 50 cl de vin rouge
- 2 oignons
- 3 cuil. à soupe de rhum vieux
- 1 cuil. à soupe de fécule
- 1 feuille de laurier
- 1 cuil. à soupe de persil haché
- 1 cuil. à café de thym
- 2 cuil. à soupe d'huile
- 25 g de beurre
- sel, poivre

1. La veille, pelez les oignons et émincez-les finement. Mélangez le vin, les oignons, le laurier, le persil, le thym et 1 cuillerée à soupe d'huile dans un grand plat creux. Ajoutez les morceaux de lapin et laissez-les mariner pendant 24 h, en les retournant de temps à autre. Mettez les pruneaux à tremper dans une jatte d'eau froide.

2. Le lendemain, égouttez les morceaux de lapin et les pruneaux en recueillant l'eau de trempage de ces derniers. Dénoyautez les pruneaux. Coupez le lard en dés.

3. Faites chauffer le reste d'huile dans une cocotte, ajoutez-y le beurre et, lorsqu'il est fondu, faites-y revenir le lapin, le lard et la fécule, en remuant avec une cuillère en bois, jusqu'à ce que la viande soit bien dorée. Mouillez avec l'eau de trempage des pruneaux. Salez et poivrez. Faites cuire pendant 45 mn à feu doux et à couvert.

4. Au bout de ce temps, ajoutez les pruneaux et le rhum et laissez cuire pendant encore 10 mn. Servez avec du riz.

Lapin au carry

Pour 6 personnes. Préparation : 10 mn. Cuisson : 1 h 20

- *1 lapin coupé en morceaux*
- *1 tranche de lard fumé*
- *1 piment antillais*
- *6 ciboules*
- *25 cl de bouillon de volaille*
- *le jus de 1 citron vert*
- *10 g de farine*
- *1 bouquet garni*
- *carry*
- *20 g de beurre*
- *sel, poivre*

1. Ôtez la couenne du lard et taillez-le en fins bâtonnets. Lavez le piment. Épluchez les ciboules et coupez-les en rondelles.

2. Faites fondre le beurre dans une cocotte et faites-y revenir le lard et les ciboules, jusqu'à ce que les lardons soient dorés. Retirez-les et mettez à la place les morceaux de lapin. Salez et poivrez ces derniers, puis faites-les dorer à leur tour.

3. Poudrez le lapin de farine et de carry, puis versez le bouillon dessus. Ajoutez les lardons, le piment et le bouquet garni. Laissez cuire pendant 1 h à feu doux.

4. Placez les morceaux de lapin sur un plat chaud. Passez le jus de cuisson au chinois au-dessus d'une saucière. Incorporez le jus de citron à la sauce obtenue. Servez accompagné de riz créole (p. 50) et de la sauce.

47

Poivrons farcis

Pour 4 personnes. Préparation et cuisson : 45 mn

- 4 gros poivrons verts
- 2 tranches de jambon fumé
- 2 tranches de pain de mie
- 25 cl de coulis de tomate (p. 56)
- 1 oignon
- 1 gousse d'ail
- 20 g de chapelure
- 25 g de beurre
- sel, poivre

1. Allumez le gril du four. Faites griller les poivrons, jusqu'à ce que la peau se boursoufle. Pelez-les, ôtez-en le pédoncule et les graines et coupez-les en deux dans la longueur. Hachez le jambon. Retirez la croûte du pain et émiettez-en la mie. Pelez l'oignon et l'ail et émincez-les finement.

2. Faites chauffer le four à 170°, thermostat 5. Faites fondre 15 g de beurre dans une poêle et laissez-y dorer l'oignon et l'ail. Ajoutez le jambon, le pain et le coulis de tomate. Salez, poivrez et mélangez.

3. Remplissez les moitiés des poivrons avec la préparation précédente et poudrez-les de chapelure. Coupez le reste du beurre en petits dés et parsemez-en les poivrons. Placez ceux-ci dans un plat à feu. Glissez au four. Laissez cuire 15 mn environ, jusqu'à ce que les poivrons soient bien dorés. Servez chaud.

Macissis au lard

Pour 4 personnes. Préparation et cuisson : 30 mn

- 750 g de macissis (p. 9) ou ti-concombre
- 100 g de lard fumé
- 1 piment antillais
- 2 oignons
- 1 gousse d'ail
- 1 cuil. à soupe de persil haché
- 1 pincée de thym
- 20 g de beurre
- 1 cuil. à soupe d'huile
- sel, poivre

1. Lavez les macissis et coupez-en les extrémités. Coupez-les en deux dans la longueur et retirez-en les graines à l'aide d'une petite cuillère. Plongez-les dans une casserole d'eau bouillante salée et faites-les cuire 8 mn environ jusqu'à ce qu'ils soient translucides.

2. Pendant ce temps, ôtez la couenne du lard et coupez-le en bâtonnets. Rincez le piment, ôtez-en le pédoncule et hachez-en la pulpe. Pelez les oignons et émincez-les. Épluchez l'ail et écrasez-le au presse-ail.

3. Lorsque les macissis sont juste tendres, mettez-les à égouttez dans une passoire.

4. Faites chauffer l'huile dans une sauteuse, ajoutez le beurre et, lorsqu'il est fondu, faites-y revenir lardons, piment, oignon, ail, persil et thym, jusqu'à ce que les lardons soient dorés.

5. Ajoutez les macissis et mélangez. Laissez cuire encore 15 mn à feu doux et à couvert. Salez et poivrez. Servez aussitôt dans un plat chaud.

Ratatouille créole

Pour 4-6 personnes. Préparation : 20 mn. Cuisson : 3 h 15

- 2 giraumons (p. 8)
- 2 papayes vertes
- 2 aubergines
- 2 concombres
- 4 tomates
- 3 poivrons
- 3 oignons
- 3 gousses d'ail
- 1 piment antillais
- 1 feuille de laurier
- 1 brin de basilic
- 1 brin de thym
- 1 brin de romarin
- 20 cl d'huile
- sel, poivre

1. Épluchez les giraumons et les papayes, retirez-en les graines et coupez la pulpe en gros dés. Lavez les aubergines et les concombres et coupez-les en rondelles épaisses. Recoupez les rondelles d'aubergine en deux. Rincez les tomates, coupez-les en quatre, épépinez-les, puis écrasez-les à la fourchette. Fendez les poivrons en deux et ôtez-en le pédoncule, les graines et les filaments blancs. Rincez la pulpe et découpez-la en carrés. Pelez les oignons et l'ail et émincez-les. Lavez le piment et coupez-le en rondelles, en éliminant le pédoncule.

2. Faites chauffer l'huile dans un faitout et faites-y revenir les oignons et l'ail. Ajoutez les légumes en terminant par les tomates et faites-les revenir à leur tour en mélangeant. Ajoutez le piment, le laurier, le basilic, le thym et le romarin. Salez et poivrez. Couvrez et laissez cuire pendant 3 h à feu doux, en remuant de temps à autre.

3. Versez la ratatouille dans un plat creux et retirez-en la feuille de laurier ainsi que les brins de thym, de romarin et de basilic. Servez chaud ou froid.

Riz créole ★

Pour 4 personnes. Préparation et cuisson : 40 mn

- 200 g de riz long
- sel

1. Mettez le riz dans une passoire et lavez-le à l'eau froide. Jetez-le dans une casserole d'eau bouillante salée et faites-le cuire pendant 15 mn environ.

2. Faites chauffer le four à 140°, thermostat 4. Égouttez le riz dans une passoire, passez-le à l'eau froide, puis à l'eau bouillante et égouttez-le de nouveau. Étalez le riz dans un plat à feu et faites-le sécher au four, en le surveillant attentivement, pendant 20 mn. Égrenez le riz à la fourchette au moment de servir.

Riz au carry ★★

Pour 4 personnes. Préparation et cuisson : 25 mn

- 250 g de riz
- carry en poudre
- 1 litre de bouillon
- 25 g de beurre
- 2 oignons
- sel, poivre

1. Épluchez les oignons et émincez-les finement en défaisant les anneaux.

2. Faites fondre le beurre dans un faitout et faites-y dorer légèrement les oignons. Ajoutez le riz et faites-le revenir à son tour en remuant avec une cuillère en bois, jusqu'à ce que les grains soient translucides. Versez le bouillon (2 fois le volume de riz), salez, poivrez et faites cuire 10 à 15 mn à feu doux.

3. Ajoutez du carry, à votre goût, et poursuivez la cuisson pendant encore 5 mn, jusqu'à absorption complète du bouillon. Égrenez à la fourchette pour servir.

☐ Ce riz est ce que l'on appelle un riz « debout », c'est-à-dire un riz dont les grains se détachent bien les uns des autres. En augmentant le volume de liquide et le temps de cuisson, à 20 ou 25 mn, on obtient un riz plus collant.

★★ Riz aux pois rouges

Pour 4 pers. Tremp. : 12 h. Préparation et cuisson : 1 h 30

- 250 g de haricots secs rouges (appelés pois)
- 250 g de riz long
- 1 oignon
- 1 gousse d'ail
- 1 bouquet garni
- 1 cuil. à soupe de farine de manioc
- 2 cuil. à soupe d'huile
- sel, poivre

Pour servir :
- *persil haché*

1. La veille, versez les haricots dans une jatte et couvrez-les d'eau froide. Laissez-les tremper toute la nuit.

2. Le lendemain, égouttez les haricots. Pelez l'ail. Mettez les haricots, l'ail et le bouquet garni dans une cocotte et recouvrez de 10 cm d'eau froide. Faites cuire 1 h 30 environ, jusqu'à ce que les haricots soient juste tendres.

3. Pelez l'oignon et émincez-le en défaisant les anneaux. Faites chauffer l'huile dans une poêle et faites-y fondre l'oignon. Ajoutez le riz et faites-le revenir à son tour en mélangeant avec une cuillère en bois, jusqu'à ce que les grains soient translucides. Versez le tout sur les haricots. Salez, poivrez et mélangez. Laissez cuire 15 à 20 mn environ, jusqu'à ce que le riz soit tendre et qu'il ait absorbé tout le liquide.

4. Poudrez avec la farine de manioc et mélangez délicatement à la fourchette en retirant le bouquet garni. Mettez le riz aux haricots dans un plat creux et parsemez-le de persil.

Riz créole aux tomates ★ et aux poivrons

Pour 4 personnes. Préparation : 15 mn. Cuisson : 2 h 15

- 200 g de riz créole
- 3 tomates
- 2 poivrons verts
- 2 piments
- 2 oignons
- 1 gousse d'ail
- 1 cuil. à café de gingembre en poudre
- 1 pincée de thym
- 1 pincée de romarin
- 3 cuil. à soupe d'huile d'olive
- sel, poivre

Pour servir :
- *persil haché ou persillade*

1. Ébouillantez les tomates pendant 30 secondes, pelez-les, coupez-les en deux et épépinez-les. Recoupez chaque moitié en dés. Fendez les poivrons et les piments en deux, ôtez-en le pédoncule et les graines. Lavez la pulpe et hachez-la. Pelez les oignons et émincez-les. Épluchez l'ail et hachez-le.

2. Faites chauffer l'huile dans une cocotte et faites-y revenir tomates, poivrons, piments, oignons et ail pendant quelques minutes, jusqu'à ce qu'ils deviennent translucides. Ajoutez le gingembre, le thym et le romarin. Salez, poivrez et mélangez. Laissez cuire pendant 2 h à feu doux et à couvert.

3. Incorporez le riz et laissez cuire le tout pendant encore 5 mn. Mettez la préparation dans un plat creux chaud et parsemez-la de persil haché ou de persillade.

51

LÉGUMES

Salade de gombos

Pour 4 personnes. Préparation : 15 mn. Cuisson : 20 mn

- *500 g de jeunes gombos (p. 8)*
- *1 citron vert*
- *1 gousse d'ail*
- *1 pincée de bicarbonate de soude*
- *sel, poivre*

Pour servir :
- *vinaigrette*

1. Coupez une partie du pédoncule des gombos, lavez-les et égouttez-les.

2. Faites bouillir de l'eau salée dans une casserole et plongez-y les gombos. Ajoutez le bicarbonate de soude (qui conservera la couleur des légumes) et laissez cuire pendant 20 mn.

3. Lorsque les gombos sont tendres, égouttez-les dans une passoire et laissez-les refroidir. Coupez le citron en deux et pressez-le. Pelez la gousse d'ail, fendez-la en deux et frottez-en l'intérieur d'un saladier.

4. Mettez les gombos froids dans le saladier et arrosez-les du jus de citron. Poivrez et mélangez. Servez avec de la vinaigrette à part dans un bol.

Galettes de maïs

Pour 4 personnes. Préparation : 20 mn. Cuisson : 15 mn

- *250 g de maïs en grains frais ou en boîte*
- *100 g de farine*
- *2 œufs*
- *piment de Cayenne*
- *1 cuil. à soupe d'huile*
- *25 g de beurre*
- *sel*

1. Égouttez les grains de maïs, s'ils sont en boîte, et passez-les à la moulinette, grille fine.

2. Mettez la farine dans une jatte et creusez un puits au centre. Cassez les œufs dans ce puits, puis ajoutez une pincée de cayenne et une pincée de sel. Travaillez du bout des doigts, en ajoutant un peu d'eau si nécessaire, jusqu'à obtention d'une pâte épaisse. Incorporez soigneusement le maïs à cette pâte.

3. Prélevez une première cuillerée à soupe de pâte et aplatissez-la sur une planche en forme de disque. Répétez l'opération, jusqu'à épuisement de la pâte.

4. Faites chauffer l'huile dans une poêle, ajoutez le beurre et, lorsqu'il est fondu, faites-y cuire les galettes par séries, jusqu'à ce qu'elles soient bien dorées sur les deux faces. Servez chaud avec du poisson ou du poulet.

Gratin de christophines

Pour 4 personnes. Préparation et cuisson : 1 h

- *3 grosses christophines ou chayotes (p. 7)*
- *200 g de lard fumé*
- *200 g de gruyère râpé*
- *20 cl de lait*
- *2 oignons*
- *1 piment séché*
- *10 g de chapelure*
- *2 cuil. à soupe de persil haché*
- *1 cuil. à soupe de farine*
- *2 cuil. à soupe d'huile*
- *25 g de beurre*
- *sel, poivre*

1. Coupez les christophines en deux et retirez-en le cœur. Plongez-les dans une casserole d'eau bouillante salée et faites-les cuire pendant 20 mn.

2. Égouttez les christophines et prélevez-en la chair à l'aide d'une cuillère. Laissez-la égoutter soigneusement dans une passoire en l'écrasant avec le dos d'une cuillère. Réduisez-la en purée. Incorporez le lait, la farine, du sel et du poivre à cette purée.

3. Ôtez la couenne du lard et taillez-le en petits dés. Pelez les oignons et émincez-les en défaisant les anneaux. Émiettez le piment.

4. Faites chauffer l'huile dans une poêle et faites-y revenir lard, oignons, piment et persil pendant quelques minutes, jusqu'à ce que les lardons soient dorés. Ajoutez la purée de christophine, mélangez et laissez cuire pendant 5 mn.

5. Faites chauffer le gril du four. Beurrez un plat à gratin et étalez-y des couches successives de purée et de gruyère, en commençant par la purée et en terminant par le gruyère. Poudrez le tout de chapelure. Parsemez du reste de beurre coupé en noisettes et faites gratiner 5 mn environ.

Omelette au boudin

Pour 4 personnes. Préparation : 10 mn. Cuisson : 10 mn

- 8 œufs
- 4 portions de boudin aux épices
- 2 ciboules
- le jus de 1 citron vert
- 1 cuil. à soupe de persil haché
- 1 cuil. à soupe d'huile
- 50 g de beurre
- sel, poivre

1. Cassez les œufs dans une jatte, puis battez-les avec 1 pincée de sel et de poivre et la moitié du beurre coupé en noisettes. Ôtez la peau du boudin et émiettez celui-ci à la fourchette. Épluchez les ciboules et hachez-les finement.

2. Faites chauffer l'huile dans une poêle, ajoutez le reste du beurre et, lorsqu'il est fondu, faites-y revenir les ciboules et le persil, jusqu'à ce qu'ils soient translucides. Arrosez avec le jus de citron et mélangez.

3. Versez la moitié des œufs battus dans la poêle et faites prendre partiellement l'omelette à feu doux. Incorporez les miettes de boudin à l'autre moitié des œufs battus, puis étalez le tout sur la première omelette. Laissez cuire pendant quelques minutes, jusqu'à ce que l'omelette soit dorée sur le dessous et moelleuse sur le dessus.

4. Roulez l'omelette et faites-la glisser sur un plat chaud.

★★ Omelette au crabe et aux champignons

Pour 4 personnes. Préparation : 20 mn. Cuisson : 15 mn

- 8 œufs
- 250 g de chair de crabe avec le corail et les parties crémeuses (taumali)
- 100 g de champignons de couche
- 8 ciboules
- 1 oignon
- 1 gousse d'ail
- 3 cuil. à soupe d'huile
- 15 g de beurre
- sel, poivre

Pour servir :
- ciboulette ou persil
- jus de citron vert

1. Cassez les œufs dans une jatte, salez et poivrez-les, puis battez-les. Émiettez la chair de crabe à la fourchette en éliminant les cartilages. Incorporez le corail et les parties crémeuses. Épluchez les champignons, retirez la partie sableuse du pied, lavez-les, épongez-les et émincez-les. Épluchez les ciboules et coupez-les en fines rondelles. Pelez l'oignon et émincez-le en défaisant les anneaux. Épluchez l'ail et écrasez-le au presse-ail.

2. Faites chauffer 2 cuillerées à soupe d'huile dans une poêle et faites-y revenir champignons, ciboules, oignon et ail pendant quelques minutes, jusqu'à ce que les champignons commencent à rendre leur eau. Salez, poivrez. Ajoutez les miettes de crabe et mélangez pendant 1 ou 2 mn à feu doux. Retirez du feu.

3. Faites chauffer le reste de l'huile dans une autre poêle, ajoutez le beurre et, lorsqu'il commence à mousser, versez les œufs battus. Faites cuire l'omelette à feu vif, en soulevant les bords avec une spatule, jusqu'à ce qu'elle soit dorée sur le dessous mais encore moelleuse sur le dessus.

4. Étalez la préparation au crabe et aux champignons sur l'omelette et roulez-la. Posez l'omelette sur un plat chaud. Poudrez de ciboulette ou de persil et arrosez d'un filet de jus de citron vert. Servez chaud.

Huile à l'ail
et aux piments

Pour 1 litre d'huile. Préparation : 10 mn. Marinade : 7 jours

- 1 litre d'huile
- 6 gousses d'ail
- 2 piments rouges
- 2 piments verts
- 1 poivron
- 1 bouquet garni

1. Pelez les gousses d'ail. Lavez les piments et le poivron, essuyez-les et découpez-les en anneaux en éliminant les graines.

2. Placez l'ail, les piments, le poivron et le bouquet garni dans un bocal en verre de 1 litre. Ajoutez l'huile et fermez hermétiquement. Laissez mariner pendant 7 jours.

3. Au bout de ce temps, filtrez l'huile et versez-la dans une bouteille.

Coulis de tomate
martiniquais

Pour 50 cl de coulis. Prép. et cuis. : 30 mn. Repos : 24 h

- 1 kg de tomates mûres
- 50 g de sucre roux
- 3 oignons
- 2 gousses d'ail
- 1 bouquet garni
- 1 pincée de piment de Cayenne
- 1 pointe de girofle
- 1 cuil. à soupe d'huile
- 1 cuil. à café de sel

1. Lavez les tomates et coupez-les en morceaux. Pelez les oignons et l'ail, puis hachez-les.

2. Faites chauffer l'huile dans une sauteuse et faites-y revenir oignons et ail, jusqu'à ce qu'ils soient translucides.

3. Ajoutez les tomates, le sucre, le bouquet garni, le piment de Cayenne, le girofle et le sel. Mélangez et laissez cuire pendant 20 mn à feu doux et à couvert.

4. Retirez le bouquet garni, puis versez le contenu de la sauteuse dans un tamis au-dessus d'une jatte. Écrasez les tomates avec le dos d'une cuillère, pour les réduire en purée.

5. Versez le coulis dans un bocal et fermez hermétiquement. Laissez reposer pendant 24 h.

☐ Ce coulis peut se conserver au réfrigérateur plusieurs semaines.

★ Coulis de poivrons

Pour 25 cl de coulis. Préparation et cuisson : 50 mn

- 4 gros poivrons
- 1 piment antillais
- 2 oignons
- 1 gousse d'ail
- 1 bouquet garni
- 1 pincée de piment de Cayenne
- 2 cuil. à soupe d'huile d'olive
- sel, poivre

1. Faites chauffer le gril du four et placez les poivrons sous la rampe. Faites-les griller, jusqu'à ce que leur peau devienne noire et se boursoufle.

2. Laissez refroidir les poivrons et pelez-les. Ouvrez-les, retirez-en graines et pédoncule. Découpez la pulpe en carrés.

3. Rincez le piment. Pelez les oignons et émincez-les en défaisant les anneaux. Épluchez l'ail et écrasez-le au presse-ail.

4. Faites chauffer l'huile dans une poêle et faites-y revenir les oignons, jusqu'à ce qu'ils soient translucides. Ajoutez les poivrons, le piment, l'ail, le bouquet garni, le piment de Cayenne et 20 cl d'eau. Laissez cuire pendant 30 mn à feu doux et à couvert.

5. Versez le contenu de la poêle dans un moulin à légumes, grille fine, retirez le piment et le bouquet garni et réduisez le reste en purée. Salez et poivrez.

Vinaigre aromatisé aux piments
★

Pour 1 litre de vinaigre. Prép. et cuis. : 15 mn. Repos : 15 jours

- 1 litre de vinaigre d'alcool
- 5 piments rouges et verts
- 1 carotte
- 6 échalotes
- 1 cuil. à soupe d'huile
- 1 cuil. à café de poivre en grains
- 1 cuil. à café de sel

1. Rincez les piments. Épluchez la carotte et coupez-la en quatre dans la longueur. Pelez les échalotes. Mettez ces ingrédients dans un bocal en verre de 1 litre. Ajoutez l'huile et mélangez.

2. Faites chauffer le vinaigre avec le poivre et le sel dans une casserole et, lorsqu'il bout, versez-le dans le bocal. Laissez reposer pendant 15 jours.

☐ Ce vinaigre doit être conservé au frais, une fois entamé.

Sauce piquante ★

Pour 20 cl de sauce. Prép. : 20 mn. Macération : 1 h

- 1 citron vert
- 6 ciboules
- 1 oignon
- 1 gousse d'ail
- 1 feuille de laurier séchée
- 1 cuil. à café de persil haché
- 1 piment antillais
- 1 pincée de thym
- 3 cuil. à soupe d'huile
- sel, poivre en grains

1. Coupez le citron en deux et pressez-le. Fendez le piment en deux, ôtez-en le pédoncule, puis rincez la pulpe et hachez-la finement. Épluchez les ciboules et l'oignon et hachez-les menu. Pelez l'ail et écrasez-le au presse-ail. Émiettez la feuille de laurier.

2. Mettez le piment, les ciboules, l'oignon, le laurier, le persil et le thym dans une jatte. Ajoutez l'huile et travaillez bien le tout.

3. Ajoutez le jus de citron et l'ail. Salez et poivrez avec trois tours de moulin à poivre. Mélangez une dernière fois et laissez macérer pendant 1 h environ.

☐ Servez cette sauce forte avec une viande ou un poisson.

Sauce chien ★

Pour 30 cl de sauce. Prép. et cuis. : 15 mn. Infusion : 30 mn

- 1 citron vert
- 1 piment antillais
- 1 oignon
- 3 ciboules
- 1 gousse d'ail
- 1 cuil. à soupe d'huile
- poivre mignonnette
- sel

1. Coupez le citron en deux et pressez-le. Lavez le piment et découpez-le en anneaux. Épluchez l'oignon et les ciboules et hachez-les. Pelez l'ail et pilez-le.

2. Mettez l'oignon, les ciboules et l'ail dans une jatte. Versez l'huile et le jus de citron en mélangeant. Salez, poivrez, puis ajoutez les anneaux de piment.

3. Faites bouillir 30 cl d'eau et versez-la sur la préparation. Couvrez et laissez infuser pendant 30 mn. Servez dans un bol ou une saucière.

Vinaigre aromatisé au citron

★

Pour 1 litre de vinaigre. Préparation : 10 mn

- 1 litre de vinaigre de vin
- 2 citrons verts
- 3 ciboules
- 6 grains de poivre
- 1 pincée de sel

1. Lavez les citrons et essuyez-les. Prélevez le zeste de 1 1/2 citron à l'aide d'un couteau zesteur. Coupez la moitié du citron qui a conservé son zeste en petits morceaux en éliminant les pépins. Épluchez les ciboules.

2. Introduisez le zeste et les morceaux de citron ainsi que les ciboules dans une bouteille de 1 litre. Ajoutez le vinaigre, le poivre et le sel. Fermez hermétiquement.

☐ Vous pourrez rajouter du vinaigre de vin pur, à mesure que la bouteille se videra.

★

Sauce tomate

Pour 20 cl de sauce. Préparation et cuisson : 30 mn

- 3 tomates
- 1 piment antillais
- 2 oignons ou 4 ciboules
- 2 gousses d'ail
- 1 cuil. à café de persil haché
- 2 cuil. à soupe d'huile d'olive
- sel, poivre

1. Ébouillantez les tomates pendant 30 secondes et le piment pendant 1 mn, puis rafraîchissez-les et pelez-les. Coupez les tomates en morceaux.

2. Mettez les tomates et le piment dans une casserole. Arrosez de 1 cuillerée à soupe d'eau et laissez cuire pendant 10 mn à feu doux, en remuant de temps à autre.

3. Retirez le piment et passez les tomates au tamis au-dessus d'une jatte, en les écrasant pour les réduire en purée.

4. Épluchez les oignons ou les ciboules et émincez-les. Pelez l'ail et écrasez-le au presse-ail.

5. Faites chauffer l'huile dans une sauteuse et faites-y revenir oignons ou ciboules, ail et persil, jusqu'à ce qu'ils soient translucides. Ajoutez la purée de tomate, puis salez et poivrez. Faites cuire pendant 10 mn, en mélangeant. Servez séparément dans une saucière ou un bol.

Amandines au rhum

Pour 4 tartelettes. Préparation et cuisson : 30 mn

- 250 g de pâte brisée
- 200 g de poudre d'amande
- 3 œufs
- 115 g de beurre mou
- 3 cuil. à soupe de rhum vieux
- 4 cuil. à soupe de confiture d'abricots
- amandes mondées

1. Faites chauffer le four à 170°, thermostat 5. Beurrez 4 moules à tartelettes avec 15 g de beurre. Abaissez la pâte brisée et garnissez-en les moules. Piquez les fonds de tartelette à la fourchette et enduisez-les d'un peu de confiture d'abricots.

2. Cassez les œufs dans une jatte. Ajoutez la poudre d'amande, 2 cuillerées à soupe de rhum et le reste de beurre, puis mélangez bien le tout à la spatule, jusqu'à obtention d'une pâte lisse.

3. Garnissez le fond des tartelettes avec la préparation précédente en lissant la surface. Faites cuire pendant 15 mn environ au four, jusqu'à ce que les tartelettes soient bien dorées sur le dessus.

4. Sortez les moules du four. Faites fondre le reste de la confiture avec le reste de rhum et enduisez-en le dessus des tartelettes. Disposez les amandes mondées. Laissez refroidir et démoulez au moment de servir.

Beignets d'ananas

Pour 4 personnes. Prép. et cuisson : 20 mn. Repos : 3 h

- 5 tranches d'ananas frais
- 25 g de sucre roux
- 10 cl de rhum vieux
- huile pour friture

Pour la pâte à beignets :
- 250 g de farine
- 2 œufs
- 20 cl de lait
- 1 pincée de sel

1. Mettez la farine dans une jatte et creusez un puits au centre. Cassez les œufs dans un bol, battez-les et versez-les dans ce puits. Ajoutez le lait et le sel, puis mélangez en ramenant peu à peu la farine vers le centre, jusqu'à ce que la pâte devienne lisse et homogène. Laissez reposer pendant 3 h.

2. Une heure avant la fin du temps de repos de la pâte, coupez les tranches d'ananas en morceaux, arrosez-les de rhum et poudrez-les de sucre. Mélangez et laissez macérer.

3. Lorsque la pâte est prête, faites chauffer de l'huile dans une friteuse. Passez les morceaux d'ananas un à un dans la pâte, de façon à bien les enrober, et plongez-les dans l'huile. Laissez dorer les beignets, égouttez-les sur du papier absorbant et servez immédiatement.

Soufflé à la mangue

Pour 4 personnes. Préparation et cuisson : 40 mn

- 4 mangues bien mûres
- 30 g de fécule
- 100 g de sucre
- 30 cl de lait bouilli froid
- 4 œufs
- 40 g de beurre
- 3 cuil. à soupe de vieux rhum
- 1 cuil. de sucre glace

1. Réservez 10 cl de lait, et faites bouillir le reste dans une grande casserole, genre sauteuse, avec le sucre.

2. Dans un bol, délayez la fécule dans le lait froid réservé, en ayant soin de ne pas faire de grumeaux. Ajoutez en tournant, dans le lait sucré bouilli.

3. Posez la casserole sur le feu. Amenez à ébullition lentement et laisser bouillir quelques secondes. Retirez du feu. Ajoutez 30 g de beurre en petits morceaux. Laissez refroidir.

4. Séparez les blancs des jaunes d'œufs et fouettez les blancs. Préparez votre moule à soufflé en beurrant les parois avec le reste de beurre. Réduisez les mangues en purée.

5. Ajoutez dans l'ordre la purée de mangues, le rhum, les jaunes d'œufs, au lait bouilli. Remuez à la cuillère en bois ou au fouet.

6. Faites chauffer le four à 170 °C, thermostat 5. Incorporez le tiers des blancs en neige, mélangez doucement, jusqu'à ce que le tout soit bien homogène. Ajoutez le reste des blancs et mélangez de nouveau très délicatement.

7. Versez la composition dans le moule à soufflé et pratiquez des entailles en ramenant du mélange vers le haut du soufflé.

8. Glissez le soufflé au four et fermez-en la porte tout de suite. Laissez cuire 20 mn environ, en vérifiant que le soufflé ne se colore pas trop. N'oubliez pas que chaque ouverture de la porte nuit à la montée.

9. 3 mn avant la fin de la cuisson, saupoudrez de sucre glace. Servez immédiatement.

☐ Pour vérifier la bonne cuisson d'un soufflé, vous pouvez y plonger une fourchette : elle doit en sortir bien nette.

☐ Un soufflé normalement cuit et réussi doit monter de 6 cm environ au-dessus du moule. Il doit être impérativement servi dès la sortie du four, afin d'éviter les risques d'affaissement.

☐ Ce soufflé très délicat et fin ne doit pas être servi après un plat trop épicé.

Sorbet à l'abricot

Pour 4 personnes. Préparation : 15 mn. Réfrigération : 2 h 30

- 4 gros abricots-pays mûrs (p. 7)
- le jus de 1 citron vert
- 25 cl de sirop de sucre de canne
- 1 blanc d'œuf

1. Lavez les abricots et dénoyautez-les. Passez-les au mixeur avec le jus de citron pour les réduire en purée.

2. Mélangez la purée de fruits avec le sirop de sucre et passez le tout au chinois au-dessus d'une sorbetière. Placez celle-ci dans le compartiment à glace du réfrigérateur et laissez prendre pendant 30 mn environ.

3. Au bout de ce temps, battez le sorbet à la fourchette jusqu'à ce qu'il redevienne liquide. Battez le blanc d'œuf en neige ferme et incorporez-le à la préparation.

4. Versez dans un bac à glaçons et remettez au freezer pendant 2 h au moins. Servez dans des coupes.

Sorbet au citron vert

Pour 4 personnes. Préparation et cuisson : 15 mn. Réfrigération : 4 h

- 6 citrons verts
- 35 cl de sirop de sucre de canne
- 1 blanc d'œuf

1. Coupez les citrons en deux et pressez-les. Versez le jus obtenu dans un bol doseur et ajoutez suffisamment d'eau pour obtenir 75 cl de liquide. Passez le tout au chinois au-dessus d'une casserole, puis ajoutez le sirop de canne.

2. Placez sur feu doux et amenez à ébullition en mélangeant. Laissez refroidir complètement.

3. Battez légèrement le blanc d'œuf pour le faire mousser, puis incorporez-le à la préparation précédente. Versez dans une sorbetière et laissez prendre au freezer pendant 4 h environ.

Pruneaux au rhum

Pour 24 pruneaux. Préparation et cuisson : 10 mn. Macération : 12 h

- *24 pruneaux (avec le noyau)*
- *2 citrons verts*
- *40 g de sucre roux en morceaux*
- *2 cuil. à soupe de rhum*
- *3 cuil. à café de feuilles de thé*

1. Faites chauffer 40 cl d'eau dans une casserole et, dès qu'elle frémit, versez-la sur le thé dans une théière. Laissez infuser pendant 5 mn.

2. Pendant ce temps, rincez les pruneaux, égouttez-les et mettez-les dans une autre casserole. Lavez les citrons et prélevez-en le zeste à l'aide d'un couteau zesteur. Posez les lanières de zeste et les morceaux de sucre sur les pruneaux.

3. Lorsque le thé est infusé, passez-le au-dessus de la casserole contenant les pruneaux. Portez à ébullition, couvrez et laissez macérer pendant 12 h.

4. Au bout de ce temps, ajoutez le rhum et mélangez. Servez froid.

Crêpes au rhum

Pour 30 crêpes. Préparation : 10 mn. Repos de la pâte : 1 h. Cuisson : 30 mn

- *250 g de farine*
- *150 g de sucre de canne*
- *50 cl de lait*
- *20 cl de lait de coco*
- *5 œufs*
- *2 cuil. à soupe de rhum vieux*
- *1 pincée de cannelle*
- *15 g de beurre*
- *3 cuil. à café d'huile*
- *1 pincée de sel*

1. Cassez les œufs dans un bol et battez-les. Faites fondre le beurre dans une petite casserole à feu doux.

2. Mettez la farine, le sucre, la cannelle et le sel dans une terrine et creusez un puits au centre. Versez-y le lait, le lait de coco, les œufs battus, le rhum et le beurre fondu. Mélangez en ramenant peu à peu la farine vers le centre, jusqu'à ce que la pâte devienne lisse. Laissez reposer pendant 1 h.

3. Au bout de ce temps, mélangez soigneusement la pâte. Faites chauffer deux poêles et passez-y un tampon d'huile. Versez une petite louche de pâte dans chaque poêle en faisant tourner celle-ci dans tous les sens, afin d'étaler la pâte de façon uniforme. Faites dorer les crêpes sur les deux faces, puis faites-les glisser sur une assiette posée sur une casserole d'eau bouillante pour les tenir au chaud pendant la cuisson des autres crêpes.

☐ Vous pouvez fourrer ces crêpes avec de la compote de mangues, de goyaves ou de bananes, ou bien encore, avec de la confiture.

Bananes au vin rouge

Pour 6 personnes. Préparation et cuisson : 20 mn

- *8 bananes*
- *1 verre de bon vin rouge*
- *100 g de cassonade*
- *le jus de 1 citron vert*
- *1 cuil. à café de cannelle en poudre*

1. Coupez les bananes en rondelles, arrosez-les de jus de citron.

2. Dans une poêle assez grande, versez le verre de vin, le sucre, la cannelle et les rondelles de bananes.

3. Laissez mijoter à feu doux environ 10 mn, jusqu'à ce que les bananes soient cuites.

4. Retirez les rondelles de bananes de la poêle et tenez-les au chaud.

5. Faites réduire la sauce encore quelques minutes et versez-la sur les bananes. Servez très chaud.

Rochers congolais

Pour 36 congolais. Préparation : 15 mn. Cuisson : 15 mn

- *200 g de noix de coco en poudre*
- *100 g d'amandes en poudre*
- *150 g de sucre roux*
- *150 g de sucre vanillé*
- *4 blancs d'œufs*

Pour la plaque à pâtisserie :
- *farine ou huile*

1. Faites chauffer le four à 170°, thermostat 5, sortez la plaque à pâtisserie de l'appareil et poudrez-la de farine ou bien tapissez-la de papier sulfurisé et huilez ce dernier.

2. Battez les blancs d'œufs en neige ferme dans une jatte, puis ajoutez-y les sucres et continuez de battre, jusqu'à ce que les blancs soient bien fermes. Incorporez délicatement les poudres de noix de coco et d'amande.

3. Prélevez une première cuillerée à soupe de pâte et déposez-la sur la plaque à pâtisserie. Disposez ainsi 36 petits tas de pâte en les espaçant régulièrement. Mettez au four et laissez cuire pendant 15 mn environ, jusqu'à ce que les congolais soient dorés. Laissez refroidir.

Bananes meringuées

Pour 4 personnes. Préparation et cuisson : 20 mn

- *4 bananes bien mûres*
- *60 g de sucre roux*
- *2 cuil. à soupe de rhum vieux*
- *1 cuil. à soupe de sucre glace*
- *2 blancs d'œufs*

1. Faites chauffer le four à 140°, thermostat 4. Épluchez les bananes et écrasez-les à la fourchette pour les réduire en purée. Ajoutez la moitié du sucre roux et la moitié du rhum et mélangez. Étalez la purée de fruits dans un petit plat à feu rond en formant un dôme.

2. Battez les blancs d'œufs en neige ferme et incorporez-y le reste du sucre roux et du rhum, toujours en battant. Étalez la préparation à meringue sur la purée de bananes en une couche uniforme.

3. Poudrez de sucre glace et mettez au four. Laissez dorer pendant 5 ou 10 mn. Servez immédiatement.

Boules de coco « pour les enfants »

Pour 12 boules environ. Préparation et cuisson : 1 h

- *1 noix de coco*
- *500 g de cassonade*
- *1 cuil. à café de cannelle en poudre*
- *1 cuil. de vanille en poudre*
- *100 g de sucre*
- *les zestes de 2 citrons râpés*

1. Ouvrez la noix de coco, prélevez-en la pulpe et râpez-la.

2. Dans un poêlon versez la pulpe de noix de coco râpé, le sucre, la cannelle, la vanille et un demi verre d'eau.

3. Laissez cuire 45 mn à feu doux, en remuant à la cuillère en bois régulièrement, jusqu'à ce que le mélange prenne de la consistance.

4. Mélangez le sucre et les zestes de citron râpés.

5. Lorsque la pâte est cuite tournez-la rapidement et versez-la en petits tas, sur un marbre huilé. Laissez légèrement refroidir, puis roulez en boules. Passez-les dans le mélange sucre-zestes de citron. Laissez complètement refroidir.

☐ Vous pouvez remplacer les zestes de citron par des zestes d'orange ou de mandarine.

Tarte aux fruits

Pour 6 pers. Préparation : 25 mn. Cuisson : 30 mn

Pour la pâte brisée :
- *200 g de farine*
- *1 œuf*
- *100 g de beurre*

Pour le moule :
- *10 g de beurre*
- *1 pincée de sel*

Pour la garniture :
- *4 mangues*
- *2 kiwis*
- *50 g de sucre*
- *3 cuil. à soupe de crème fraîche épaisse*
- *2 œufs*

1. Préparez la pâte : cassez l'œuf dans un bol et battez-le. Coupez le beurre en dés. Mettez la farine dans une jatte, ajoutez l'œuf, le beurre et le sel, puis travaillez le tout du bout des doigts, en mouillant d'un peu d'eau si besoin est, jusqu'à obtention d'une pâte homogène.

2. Faites chauffer le four à 170°, thermostat 5. Beurrez un moule à tarte de 23 cm de diamètre. Abaissez la pâte brisée et garnissez-en le moule. Piquez-la à la fourchette.

3. Préparez la garniture : pelez les mangues et détachez-en la pulpe du noyau. Coupez celle-ci en lamelles. Épluchez les kiwis et coupez-les en rondelles. Disposez les morceaux de fruits sur le fond de tarte.

4. Cassez les 2 œufs qui restent et battez-les avec le sucre et la crème fraîche. Versez ce mélange sur les fruits. Enfournez et laissez cuire pendant 30 mn environ, jusqu'à ce que la tarte soit dorée sur le dessus. Démoulez pour servir.

☐ Vous pouvez utiliser des bananes, de l'ananas ou d'autres fruits exotiques pour garnir la tarte.

Gâteau à l'orange

Pour 4 personnes. Préparation et cuisson : 1 h 30

- *3 oranges*
- *100 g de beurre ramolli*
- *75 g de sucre*
- *150 g de farine tamisée*
- *3 œufs*
- *1 cuil. à café de levure de boulanger*
- *1 cuil. à soupe de vieux rhum*
- *1 cuil. de cointreau*

1. Dans une jatte, mélangez le sucre et le beurre ramolli.

2. Séparez les blancs des jaunes d'œufs, ajoutez les jaunes un par un dans la jatte en mélangeant. Vous devez obtenir une pâte onctueuse et homogène.

3. Incorporez peu à peu, en remuant, la farine et la levure, délayée dans un demi-verre d'eau.

4. Pressez les oranges et versez le jus obtenu dans la pâte, en mélangeant.

5. Faites chauffer le four à 170 °C, thermostat 5. Battez les blancs d'œufs en neige ferme et incorporez-les à la pâte en remuant très délicatement.

6. Beurrez un moule à gâteau (à cake par exemple) et versez-y la préparation.

7. Glissez le moule au four et laissez cuire 1 h environ.

Flan à l'ananas

Pour 4 personnes. Préparation et cuisson : 1 h 30

- *1 gros ananas bien sucré*
- *1 citron vert*
- *200 g de sucre roux*
- *25 cl de lait*
- *4 blancs d'œufs*
- *1 gousse de vanille*
- *1 cuil. à soupe de rhum*

1. Épluchez l'ananas en recueillant son jus. Retirez les yeux et la partie dure du centre : vous devez obtenir 1 kg de pulpe environ. Passez celle-ci au mixeur avec le jus, pour la réduire en purée. Lavez le citron et prélevez-en le zeste à l'aide d'un couteau zesteur. Râpez la gousse de vanille.

2. Faites fondre 50 g de sucre avec 2 cuillerées à soupe d'eau dans un moule à bord haut. Faites-le caraméliser et nappez-en tout l'intérieur du moule.

3. Faites chauffer le four à 170°, thermostat 5. Versez le lait dans une casserole et faites-le chauffer. Ajoutez-y le zeste de citron, le reste du sucre, la vanille et le rhum. Laisser fondre le sucre en mélangeant, puis retirez du feu.

4. Faites chauffer la purée d'ananas dans une autre casserole sans la laisser bouillir. Mélangez-la avec le lait aromatisé.

5. Battez les blancs d'œufs en neige ferme et incorporez-les à la préparation précédente. Versez le tout dans le moule en lissant la surface.

6. Remplissez un plat à feu à moitié d'eau chaude et placez-y le moule. Enfournez et laissez cuire le flan au bain-marie pendant 1 h environ, jusqu'à ce qu'il soit ferme sur le dessus.

7. Laissez refroidir complètement le flan et démoulez-le sur un plat.

Salade de fruits exotiques

Pour 4 personnes. Préparation : 20 mn. Macération : 1-2 h

- *2 kg de fruits variés : oranges, ananas, goyaves, papayes, pommes, abricots, pastèque... suivant le marché*
- *le jus de 1/2 citron vert*
- *10 cl de rhum vieux*
- *3 cuil. à soupe de sirop de sucre de canne*
- *1 pincée de cannelle*
- *1 pointe de noix de muscade râpée*

Pour servir :
- *pulpe de noix de coco fraîche*

1. Épluchez les fruits et coupez-les en dés ou en rondelles suivant les cas. Mettez-les dans un compotier.

2. Mélangez le jus de citron, le rhum, le sirop de sucre, la cannelle et la noix de muscade dans un bol, puis arrosez-en les fruits. Mélangez délicatement et laissez macérer pendant 1 ou 2 h au réfrigérateur.

3. Râpez un peu de pulpe de noix de coco et parsemez-en la salade de fruits. Servez frais dans une coque de pastèque par exemple.

Omelette de mangue

Pour 4 personnes. Préparation et cuisson : 20 mn

- *6 œufs*
- *3 mangues mûres à point*
- *le jus de 1/2 citron vert*
- *2 cuil. à soupe de cassonnade*
- *1 cuil. à soupe de crème fraîche*
- *25 g de beurre*
- *1 pincée de sel*

1. Épluchez les mangues et prélevez-en la pulpe. Coupez celle-ci en morceaux.

2. Mettez la pulpe de mangue dans une casserole et arrosez-la de jus de citron. Ajoutez la cassonnade et faites cuire pendant quelques minutes, jusqu'à obtention d'une purée grossière.

2. Cassez les œufs dans une jatte, puis battez-les avec la crème fraîche et le sel.

4. Faites fondre le beurre dans une poêle et versez-y les œufs battus. Faites cuire l'omelette pendant quelques minutes, jusqu'à ce qu'elle commence à prendre. Étalez-y la purée de mangues et laissez cuire pendant encore 2 mn.

5. Retournez l'omelette sur un plat chaud et servez aussitôt.

Beignets d'ananas au rhum

Pour 4 personnes. Macération : 1 h. Préparation et cuisson : 30 mn

- *8 tranches d'ananas*
- *1 verre de vieux rhum*
- *125 g de farine*
- *1 cuil. d'huile d'olive*
- *1 pincée de sel*
- *1 cuil. à soupe de sucre + 1 pincée*
- *1 œuf*
- *25 g d'arachides grillées et écrasées*
- *huile pour friture*

Pour servir :
- *sucre*

1. Dans une jatte, faites macérer les tranches d'ananas avec le rhum et le sucre.

2. Versez la farine dans une jatte, creusez-y une fontaine, et mettez-y l'œuf entier battu, la pincée de sel, une pincée de sucre, l'huile d'olive, mélangez. Ajoutez peu à peu 15 cl d'eau, jusqu'à obtention d'une pâte bien crémeuse. Incorporez les arachides et mélangez soigneusement.

3. Faites chauffer l'huile de friture.

4. Passez les tranches d'ananas dans la pâte à frire, en veillant à ce qu'elles soient bien enrobées, puis placez-les dans l'huile chaude et laissez-les frire jusqu'à ce qu'elles soient bien dorées.

5. Égouttez les beignets sur du papier absorbant. Servez aussitôt, saupoudré de sucre en poudre.

☐ Vous pouvez aussi placer les beignets dans un plat à feu, saupoudrez-les de sucre et faites-les glacer au four avant de les servir.

Bananes flambées

Pour 6 personnes. Préparation et cuisson : 20 mn

- *6 bananes mûres à point*
- *le jus de 1/2 citron vert*
- *15 cl de rhum vieux*

- *125 g de sucre roux*
- *cannelle en poudre*
- *50 g de beurre*

1. Épluchez les bananes et coupez-les en deux dans le sens de la longueur. Arrosez-les du jus de citron et poudrez-les d'un peu de sucre.

2. Faites fondre le beurre dans une grande poêle (en cuivre si possible) et faites-y dorer les moitiés de bananes sur toutes les faces. Poudrez-les de cannelle et du reste du sucre et laissez cuire à feu doux, jusqu'à ce que le sucre soit caramélisé.

3. Faites chauffer le rhum dans une petite casserole ou une louche et versez-le sur les bananes. Flambez et servez.

Ananas au riz

Pour 4 personnes. Préparation et cuisson : 30 mn

- *1 ananas bien sucré*
- *125 g de riz rond*
- *75 g de sucre roux*
- *50 cl de lait*

- *10 cl de rhum vieux*
- *1 jaune d'œuf*
- *1 pincée de sel*

1. Versez le lait dans une casserole, ajoutez 20 cl d'eau, 50 g de sucre, le jaune d'œuf et le sel, et battez bien le tout. Faites chauffer à feu doux.

2. Jetez le riz en pluie dans le lait chaud et faites-le cuire pendant 15 mn à feu très doux, jusqu'à ce qu'il absorbe tout le liquide.

3. Pendant ce temps, coupez le plumet (appelé aussi panache) de l'ananas et évidez celui-ci sans déchirer l'écorce. Découpez la pulpe en dés, en éliminant les yeux et la partie dure du centre. Mettez les morceaux de fruits dans un plat creux, arrosez-les de rhum et poudrez-les du reste de sucre. Mélangez et laissez macérer.

4. Lorsque le riz est cuit, laissez-le refroidir complètement.

5. Mélangez les dés d'ananas et le riz à l'aide d'une fourchette pour séparer les grains. Servez dans la coque de l'ananas ou dans des raviers.

Crème aux œufs

Pour 4 personnes. Préparation et cuisson : 20 mn

- 75 cl de lait
- 100 g de sucre semoule
- 1 citron vert
- 3 œufs
- 20 g de Maïzena
- 1 gousse de vanille
- cannelle en poudre

1. Lavez le citron et prélevez-en le zeste à l'aide d'un couteau zesteur. Fendez la gousse de vanille.

2. Versez le lait dans une casserole, ajoutez-y le zeste de citron, la vanille et une pincée de cannelle en poudre. Faites chauffer jusqu'aux premiers frémissements. Retirez du feu et couvrez.

3. Cassez les œufs dans une jatte et battez-les avec le sucre. Incorporez la Maïzena, puis versez doucement le lait parfumé en battant au fouet.

4. Faites réchauffer la préparation à feu doux, sans laisser bouillir, puis passez-la au tamis. Versez la crème dans des ramequins et laissez-la refroidir.

☐ Vous pouvez parfumer le lait avec du cacao ou du café.

Sorbet à la goyave

Pour 1 litre de sorbet. Préparation : 15 mn. Réfrigération : 4 h

- 300 g de goyaves
- le jus de 1 citron vert
- 10 cl de sirop de sucre de canne
- vanille en poudre

1. Épluchez les goyaves, coupez-les en deux et retirez-en les pépins. Passez la pulpe au moulin à légumes, grille fine, pour la réduire en purée.

2. Mélangez la purée de fruits avec le jus de citron, le sirop de sucre, une pincée de vanille en poudre et 75 cl d'eau. Passez le tout au tamis au-dessus d'une sorbetière.

3. Placez la sorbetière au freezer et laissez prendre le sorbet pendant 4 h environ.

4. 10 mn avant de servir, mettez le sorbet dans le réfrigérateur, avec les coupes à dessert.

5. Au moment de servir, formez des boules avec une cuillère à glace et disposez-les dans les coupes.

Mousse à l'abricot

Pour 4 personnes. Préparation et cuisson : 30 mn. Réfrigération : 3 h

- 250 g d'abricots
- le jus de 1 citron vert
- 200 g de sucre roux
- 4 blancs d'œufs

1. Faites fondre le sucre dans 20 cl d'eau et faites cuire le sirop pendant 5 mn. Laissez refroidir complètement.

2. Pendant ce temps, ébouillantez les abricots 30 secondes, puis pelez-les et dénoyautez-les. Passez-les au mixeur pour les réduire en purée.

3. Mélangez la purée de fruits avec le sirop de sucre froid et le jus de citron.

4. Battez les blancs d'œufs en neige très ferme et incorporez-les délicatement à la purée d'abricots. Étalez cette mousse dans un moule et laissez-la prendre pendant quelques heures au réfrigérateur.

☐ Vous pouvez faire cette mousse avec d'autres fruits. Ce qui est important, c'est d'utiliser la même quantité de pulpe.

Confiture de goyaves

Pour 750 g de confiture. Prép. : 15 mn. Cuisson : 40 mn

- 500 g de goyaves mûres
- 1 citron vert
- 300 g de sucre
- 1 gousse de vanille
- 2 pincées de cannelle râpée

1. Pelez les goyaves, coupez-les en deux et retirez-en les graines. Recoupez chaque moitié en morceaux. Lavez le citron, essuyez-le et râpez-en le zeste. Coupez-le en deux et pressez-en la moitié.

2. Mettez les morceaux de goyave dans une casserole, arrosez-les du jus de citron et d'un peu d'eau. Faites-les cuire 10 mn environ, jusqu'à ce que la pulpe soit translucide.

3. Passez la pulpe de goyave au moulin à légumes pour la réduire en purée. Ajoutez à cette purée le zeste de citron, le sucre, la gousse de vanille et la cannelle. Mélangez et faites cuire pendant 30 mn.

4. Retirez la gousse de vanille et mettez en pots.

Confiture de coco ★

Pour 250 g de confiture. Prép. : 20 mn. Cuisson : 40 mn

- 1 noix de coco
- 1 citron vert
- 150 g de sucre roux
- 1 gousse de vanille

1. Percez deux des trois yeux de la noix de coco à l'aide d'un tournevis et d'un marteau. Videz le jus qui se trouve à l'intérieur de la noix. Brisez la coque à l'aide du marteau, puis prélevez la pulpe. Pelez celle-ci et râpez-la. Lavez le citron, essuyez-le et râpez-en finement le zeste. Râpez la gousse de vanille.

2. Faites fondre le sucre dans une casserole avec 15 cl d'eau, le zeste de citron et la vanille.

3. Ajoutez la pulpe de noix de coco râpée au sirop de sucre et mélangez bien. Laissez cuire en remuant à feu doux, jusqu'à ce que la noix de coco devienne translucide.

4. Mettez en pots et laissez refroidir.

☐ Cette confiture est surtout utilisée dans les garnitures de gâteaux.

★ Confiture de bananes

Pour 500 g de confiture. Prép. et cuisson : 30 mn

- 4 bananes bien mûres
- 3 oranges
- 2 citrons verts
- 200 g de sucre cristallisé
- 1/2 gousse de vanille

1. Épluchez les bananes et écrasez-les à la fourchette pour les réduire en purée. Coupez les oranges et les citrons en deux et pressez-les. Râpez la demi-gousse de vanille.

2. Mettez la purée de bananes, le jus des agrumes et la demi-gousse de vanille dans une casserole. Ajoutez le sucre et mélangez.

3. Placez à feu doux et laissez cuire en remuant de temps en temps, jusqu'à ce que la préparation prenne une couleur brun-rouge.

☐ Cette confiture est plutôt une compote : elle ne se conserve pas longtemps. Elle sert, en autres, à fourrer des pâtés à la cannelle.

★★ Gelée de mangues

Pour 1 kg de gelée. Macération : 24 h. Prép. et cuis. : 40 mn

- 500 g de mangues
- 500 g de sucre
- 1 gousse de vanille
- 2 pincées de cannelle râpée
- 1 pincée de muscade

1. Épluchez les mangues et prélevez-en la pulpe. Coupez celle-ci en dés et poudrez-la de sucre. Laissez macérer pendant 24 h.

2. Mettez la préparation précédente dans une casserole et portez-la à ébullition. Passez-la au tamis au-dessus d'une bassine à confiture pour recueillir le jus.

3. Râpez la muscade et ajoutez-la dans la bassine avec la vanille et la cannelle. Laissez cuire à feu doux en remuant et en écumant, jusqu'à ce qu'une goutte de gelée coagule en tombant dans une assiette froide.

4. Retirez la gousse de vanille et mettez en pots.

Punch au chocolat

Pour 1 litre de punch

- 75 cl de lait
- 50 g de chocolat amer
- 80 g de sucre roux en poudre
- 2 cuil. à soupe de liqueur de café
- 3 cuil. à café de café soluble

1. Cassez le chocolat en carrés et faites-le fondre dans une casserole avec 1 cuillerée à soupe d'eau. Ajoutez le lait, le sucre, la liqueur et le café, puis faites chauffer le tout en tournant avec une cuillère en bois, sans laisser bouillir.

2. Retirez la casserole du feu et battez au fouet le liquide au fond pour le faire mousser. Servez dans des verres highball.

☐ Vous pouvez poudrer le punch d'une pointe de cannelle.

Planteur

Pour 1 litre de planteur

- 25 cl de punch vieux
- 2 cuil. à soupe de sirop de sucre de canne
- 50 cl de jus d'orange
- 25 cl de jus de goyave
- quelques gouttes d'Angostura bitters
- 1 pincée de noix muscade râpée
- 1 pincée de cannelle

1. Mettez le punch, le jus d'orange et le jus de goyave dans un shaker. Ajoutez le sirop de sucre, la muscade, la cannelle et de la glace pilée, puis agitez.

2. Servez dans des verres highball avec 2 cubes de glace dans chaque verre.

☐ Le punch vieux se prépare avec 3/4 de rhum vieux et 1/4 de sirop de sucre de canne.

★ Daïquiri

Pour 1 litre de daïquiri

- 50 cl de rhum blanc
- 25 cl de jus de citron vert
- 25 cl de sirop de sucre de canne

1. Versez le rhum, le jus de citron et le sirop de sucre dans un shaker. Ajoutez de la glace pilée et agitez.

2. Servez dans des verres à cocktail givrés, avec 2 cubes de glace dans chaque verre.

☐ Pour préparer des verres givrés, passez un morceau de citron sur le bord des verres, puis retournez-les sur une soucoupe contenant du sucre en poudre.

★ Punch coco

Pour 1 litre de punch

- 0,5 litre de punch vieux (voir recette du planteur)
- 0,5 litre de lait de coco
- 1 citron vert
- 1/2 gousse de vanille

1. Lavez le citron, essuyez-le et râpez-en finement la moitié du zeste. Fendez le morceau de gousse de vanille.

2. Mettez le punch, le lait de coco, le zeste de citron et la vanille dans le bol d'un mixeur. Passez le tout, jusqu'à obtention d'un mélange bien mousseux.

3. Retirez la gousse de vanille et servez dans des verres highball avec de la glace pilée dans chaque verre.

Table des recettes

Les recettes présentées dans cet ouvrage sont, en général, d'une réalisation facile. Un symbole indique pour chacune d'elles son degré de facilité : ★ très facile - ★ ★ facile - ★ ★ ★ difficile. Dans la table des recettes, les temps de préparation et de cuisson sont additionnés afin de vous donner une idée du temps nécessaire à la confection de chaque recette. Ce temps est donné à l'exclusion des temps de marinade, de réfrigération, de trempage et de repos. Les indications de thermostat sont données sur la base d'une graduation de 1 à 10.

Auteur : Laurent Bianquis. Maquette et Secrétariat de rédaction : Françoise Botkine. Photos : Laurent Bianquis. Accessoires : La Porcelainerie, 55, boulevard Raspail à Paris, à qui nous adressons nos remerciements. Dépôt légal : 5023 février 1994 - Numero d'édition : 21353 - ISBN : 2.01.019369.5-62.46.0538-04/9. Photocomposition : S.C.P. Bordeaux. Imprimé en Italie par G. Canale & C. S.p.A. - Borgaro T.se - Turin.